JN083059

舛添要一

スマホ時代の 6か国語学習法!

たちばな出版

まえがき

2014年に日本を訪れた外国人は1314万人でしたが、5年後の2018年には3119万人と2.3倍に伸びています。町なかで外国人に道を尋ねられたりすることも多くなりました。

2019年にはラグビーW杯、2020年に東京オリンピック・パラリンピック、2025年には大阪万博と国際的なイベントが目白押しです。そのような機会に、ボランティアとして活動しようと思っている人も多いと思いますが、外国語を自由に操ることができれば、大きな武器となります。

日本人は英語を上手く喋れないというのが、残念ながら世界の定評になっていますが、それは正しい学習の手順を踏んでいないからです。とにかく英会話の練習さえすればよいと、文法などを無視してオウムのような口真似をしても、思ったような成果は上がりません。

私は、これまでにアジアの言葉も含めると10か国語近くに挑戦しましたが、外国語を学ぶことは、その国への扉を開くことになります。若い頃に留学したヨーロッパで習得した6か国語は、その後の私の人生を豊かにしてくれました。

どうすれば、そんなに沢山の外国語が使えるのですかとよく質問を受けます。いろんな苦労もしましたが、基礎をしっかりと固めると外国語は必ず上達します。日本人は、皆、漢字、かな、カタカナと複雑な日本語を使いこなしています。アルファベットだけのヨーロッパの言葉が操れないわけはありません。

そこで、どうすれば外国語を自由に使えるようになるか、その答えを私の経験に基づいて書いてみようと思います。まずは成功への10の原則を説明し、次に失敗へとつながる10の落とし穴を記します。その上で、流暢に外国語を話すコツを伝授します。さらには、いったん学んだ外国語を忘れないための秘訣を教えます。

この私のアイデアを実行に移すときに、最大の武器になるのがスマホです。インターネットもスマホもない50年前の外国語学習は、紙と鉛筆が道具でした。まともな発音ができるはずはありません。私の若い頃は、ネイティブの発音を録音テープ、ラジオやテレビなどを使って真似たものです。

今は、スマホさえあれば、いつでも簡単にネイティブの発音を聞くことができます。実に素晴らしい時代が到来したと思っています。スマホの外国語学習活用方法についても、私の流儀を教えます。

外国語学習は苦痛では前進しません。楽しく取り組んでこそ成功します。私は、外国語を学ぶ楽しみを満喫しました。是非、皆さんにもこの楽しみをお分けしたいと思います。

舛添要一著
『スマホ時代の6か国語学習法！』
もくじ

第3章　海外での生活の中で……47

第4章　外国語習得に成功する10の原則……99

英和辞典を「読んだ」高校時代

６か国語に挑戦

英語は義務教育で皆が学ぶのですが、私は、その他にフランス語、ドイツ語、ロシア語、スペイン語、イタリア語などを習いました。言語によって習熟度は異なりますが、これらの外国語は仕事にもプラスになりましたし、何よりも人生を豊かにしてくれました。

たとえば、外国の文学は日本語訳で読むのですが、その国の言葉を習ってオリジナルで読むと、また違った発見があります。もちろん、邦訳のない小説などは、日本人がほとんど読んでいませんので、一人で秘密を解き明かすような気持ちで辞書を頼りに読み進めますが、これも読書の楽しみの一つです。

私は、国際政治学者として、とくにヨーロッパを専攻しましたが、外国語学習のおかげで、複数の欧州言語を仕事の道具として使うことができます。これは、今でもたいへん重要な武器になっています。

ヨーロッパでは、フランスやスイスやドイツの大学などで勉強しましたが、その頃の同学の仲間とは今も付き合いが続いています。世界中に友達ができたのも、外国語を学んだからだと思います。

フランス語は、フランスの旧植民地や保護領だった地域でも通用します。たとえば、アフリカ諸国の大学などで講演や授業を依頼されましたが、アフリカの若者たちと直接議論することができて、視野が大きく広がりました。

芸は身を助く

母校の東大で教鞭をとるようになって10年が経つ頃、大学改革を巡って「改革派」と「守旧派」の争いがあり、改革を目指す西部邁さんや私など4人の教官がキャンパスを去ることになりました。ただ、大学を辞めると、明日からの生活に困ります。生きていくためには、嫌な職場でも我慢するしかないと考えるのが普通です。

しかし、私はフランス語の翻訳や通訳をすれば、何とか生活できるだけの稼ぎはあるだろうと考え、東大に辞表を出すことに決めたのです。まさに「芸は身も助く」です。フリーになってから、テレビ番組などで海外取材に行く機会もありましたが、そこでも培った語学力が大いに役立ちました。

政治の世界に入り、参議院では外交防衛委員会の委員長を務めましたが、外国の国会議員などが来訪したときには、歓迎晩餐会などで通訳なしに話ができて、相手方に喜ばれました。また、こちらが公務で海外に出かけるときも、その国の言葉を流暢に話すと、相手方の歓迎ぶりが違います。来日する観光客が上手に日本語を話すと、私たちは感激し、「どこで日本語を習ったのですか」と尋ねてしまいます。それと全く同じです。

また、都知事時代には、2020年オリンピック・パラリンピック東京大会を準備しましたが、その過程で、IOC（国際オリンピック委員会）などの関連組織の代表と何度も議論する必要が生じました。そのときにも、語学力が助けになりました。IOCの本部はスイスのローザンヌにありますが、私は若い頃2年間、ジュネーブで研究生活を送っていた関係で土地勘もあり、IOCと良好な関係を築くことができました。

とくに、IOCの第一公用語はフランス語、第二公用語は英語ですが、これらは私の得意な外国語で、随分と仕事がはかどりました。また、IOCのトーマス・バッハ会長は南ドイツのヴィュルツブルク出身ですが、同じバイエルン州にあるミュンヘンで私も仕事をしていました。そこで、初対面のときからバイエルン訛りのドイツ語を喋ることによって、すぐに仲良くなることができたのです。これも外国語習得の成果だと思います。

料理も美味しくなる

日常生活でも、フランス料理、イタリア料理、ロシア料理などの外国料理を食べに行くと、食事やワインなどの飲み物のメニューも原語で理解できますので、料理をいっそう美味しく頂くことができます。たとえば、ワインの品定めをする際に、ボトルに貼ってあるラベルを見ます。産地などの情報が書かれていますが、フランス語が読めると、すぐに理解できます。

さらに、外国映画を見るときの楽しみも増えます。劇場で鑑賞するとき、スクリーンには日本語字幕が出ますが、必ずしも細かいニュアンスまで邦訳されているとはかぎりません。原語が理解できれば、楽しさが増します。

以上のように、外国語を学習しておけば、仕事にも役立ちますし、また趣味や日常生活を豊かなものにするのに効果があると思います。

戦後の貧しい時代

子どもの頃、いつか海外へ行ってみたいという夢をいだきました。今になって、自分の歩んできた道を振り返りますと、留学を手始めに多くの国を訪れ、それぞれの国で数々の出会いがありました。子どもの頃の夢を叶えたと言っても過言ではありません。

第二次大戦後、戦後復興を遂げて、日本は豊かになりました。誰もが、気軽に飛行機に乗って海外旅行ができるようになりました。旅行代金も、少し貯金をすれば捻出できるくらいに安くなりました。私の夢が実現したのは、この日本の経済発展と平和のおかげだと思っています。

私は、戦争が終わって3年目の1948（昭和23）年に生まれましたが、敗戦に打ちひしがれた日本は貧しく、日々生きていくのが精一杯の状況でした。私が幼少の頃は、アメリカ軍の占領下にありましたが、米兵の豊かな生活ぶりに驚くとともに、自分の言葉と違う言葉を喋る人たちがいるのに驚いたものです。

当時、小学生のときには、ローマ字、つまり、A、B、C、D、Eと、アルファベットを教わるだけでした。英語を教わるのは中学生になってからです。

“This is a pen.” とか “I am a boy.” とかいう文章から出発して、dog が犬、catが猫と、一つ一つ単語を覚えていきました。今のようにアメリカ人やイギリス人が話すのを見たり、聞いたりすることのできる視聴覚教材などありません。日本人の先生が教科書通りに教えますが、発音などは、ネイティヴ (native) とは大きくかけ離れていたと思います。もちろん戦後の貧しい日本で、英会話教室などありませんでした。会話より、とにかく文法、読解、作文が優先されました。

全身を使って単語を覚える

こうして始めた英語学習ですが、予習も復習も受験勉強もきちんと実行しないまま、最初の中間試験の日が来ました。もちろん、結果は惨めなものでした。何と言っても、単語のスペル (spelling) をきちんと覚えていなかったのが致命傷でした。

そこで、それから一念発起して、horse(馬)、pig (豚) と一語、一語、スペルを間違わなくなるまで、ホース、ホース、ホースと唱えながら、紙に何十回、何百回と書いていったのです。当時はノートや紙は貴重品でしたから、新聞に入ってくるチラシ広告の紙の裏を使ったのを覚えています。要するに、目だけではなく、口も耳も手も、まさに全身を使って、単語や文章を覚えていったのです。

これは、時間もかかり大変なように見えますが、実は最も効率的な外国語勉強法なのです。高校生になり、大学生になると、次々と新しい外国語に挑戦しますが、この全身を使った基礎工事を行った外国語のみが使い物になっています。「全身を使う」ということが大事なのです。手を使って書くことこそ、記憶を定着させるのです。

こうした努力の結果、英語のテストの成績は次第に上がっていきました。そうなると、今度は英会話も上達したいと思うのは当然です。そこで、NHKのラジオ講座を聴くようになりました。ネイティヴの発音に触れて嬉しく思いました。また、地域のキリスト教会では布教のため、アメリカ人の牧師さんが英会話を教えていましたので、クリスチャンの友達と一緒に足を運んだりもしました。

ペンパルと文通を楽しむ

こうして、英語という自分にとって初めての外国語の勉強が楽しくなっていきました。当時、海外の同年代の人と文通する、つまり外国にペンパルを持つというのが世界的に流行していました。学習雑誌や新聞などにも、海外からの「ペンパルを求む」といった掲示板のようなものがあり、私はアフリカ南部のローデシア（今のジンバブエ）に住むジェニファーという白人の女子中学生と英語で文通をすることにしました。

まだ語彙も貧弱ですが、辞書を頼りに何とか手紙を作文して、２ヶ月に1度くらい郵便ポストに入れます。英語の作文の練習になりましたし、また、送ってもらった絵葉書を見ながら、ローデシアという国についても学ぶことができました。

ネットの時代になった今、メールが主流になり、手紙を書いて、切手を貼って、郵便ポストに投函することは少なくなりました。私が中学生の頃のように、ペンパルを持つことなど困難なようですし、ニーズもないようです。貴重な英作文の機会が一つ減りました。

手紙は、もちろん手書きで、万年筆を使った記憶があります。手書きも、癖のある人の文章は解読が難しいですが、各人の個性が出ていて、なかなか味のあるものだと思います。そこで、筆跡鑑定などということが成り立つのです。

なぜ筆記体を教えないのか

その点に関連して驚いたのは、今は子供たちに英語の筆記体を教えていないと聞いたときです。2002年の「ゆとり教育」からそうなったそうです。スマホやパソコンが生活の重要な道具となった今、ブロック体（活字体）しか使うことがありません。しかし、筆記体が理解できないと、歴史研究などのときに、昔の人が書いた手紙などを解読することが不可能になります。

今の子供たちに、どのようにして英単語を覚えていますかと尋ねたら、やはり一語一語書いて覚えるのだそうです。ただ、筆記体は知らないので、ブロック体を一文字一文字書いているそうです。筆記体よりも時間がかかると思います。単語を暗記するには、筆記体のほうが効率的なような気がします。私は、個人的には筆記体の学習を復活すべきだと思いますが、使用頻度が低いので時間が無駄だという意見もあります。素早く手書きで文章を書ける筆記体は、英語の上達にも役立つというのが、私の経験から割り出した結論です。

また、パソコン、スマホ、電子メールが当たり前の今日、毛筆で手書きした手紙など頂くと感激してしまいます。私は、できるだけ毛筆、あるいは万年筆で手紙を書くように心がけています。日本語でもそうですが、英語でも事情は同じだと思います。中学生の頃に、ローデシアのジェニファーと文通していた思い出がよみがえってきます。

ユニークな暗記試験

ところで、私は公立中学校に通いましたが、その校長はユニークな英語学習法を実行しました。吉田校長ですが、以前は他校で英語を教えていたと思います。校長として赴任してくると、全学一斉に英語テストを行いました。すべて和文英訳で、校長自ら作成した問題は最初から発表してあります。たとえば、「これは犬です。」という問いで、答えは “This is a dog.” です。100問〜200問という数でしたが、しっかりと暗記していけば、必ず満点がとれるはずでした。

当時は変わった校長だなと思っていましたが、この吉田式テストの利点は、誰でもしっかり暗記すれば、必ず正しく全問回答できるということです。日頃成績が悪くて劣等感に悩まされていた生徒も、満点をとって自信回復です。

また、生徒たちは、何度も答えを紙に書いて暗記しますので、単語のスペルも間違わないようになり、結果的に英語力が伸びるのです。初めての外国語である英語の学習で、吉田先生のようなユニークな先生に出会ったことは幸運だったと思っています。

「まなぶ」と「まねぶ」とは同じ語源で、「真似（まね）ぶ」

とは真似るということです。単語や文章を暗記するということは、まさに「まねぶ」ことに他ならないと思います。
私は、英語が上達した大学生のときには、たとえばシェイクスピア作品の中の有名な文章を暗記する努力をしました。そして、暗唱して悦に入っていました。暗記・暗唱は外国語の勉強に大きなプラスをもたらします。

公立の普通高校に進学

小学校に入ると、テレビが普及するようになり、海外のニュースなどが伝えられるようになります。最初は白黒テレビでしたが、高校生になるとカラーテレビが次第に増えていきます。海外のルポルタージュなどが好きで、イスラム社会などの映像に驚きながらアラビアンナイトを想像したりしたものです。
また、海外情報について書かれた本も買って読みました。一例を挙げると、イスラエルでの生活体験を綴ったルポに感動して、キブツで生活してみたいと思ったものです。
1963年11月22日にケネディ大統領が暗殺されましたが、初の日米衛星中継で送られてきた画像がそのシーンだったのです。これにはショックを受けましたが、日本を軍事占領したアメリカの実態を見に行きたいと思ったものです。
中学校から高校に進むとき、自分の居住地域にある公立高校を選択しました。入学試験はあったものの、普通の成績の中学生なら誰でも簡単に入れました。今のように、高校受験で苦労するという経験は全くありませんでした。

入学すると、進学校でしたので、次の目標が大学受験ということで、英語の授業にも力が入ります。私の通う高校から、当時は毎年数名が東大に進んでいましたし、地元の九州大学には数多く入学する名門校の一つでした。何人かの英語の先生に教わりましたが、先生によって、文法に詳しかったり、長文読解が得意だったり、会話に力を入れたりと、特色がありました。長文読解は、英語の勉強というよりも、書かれた内容について文学や哲学の話に脱線して、それがたいへん楽しかったと記憶しています。

辞書を「読む」

中間試験や期末試験には、とにかく、目、手、口、耳と全身を使って、単語や文章を暗記して臨みました。その際に、辞書を徹底的に活用しました。

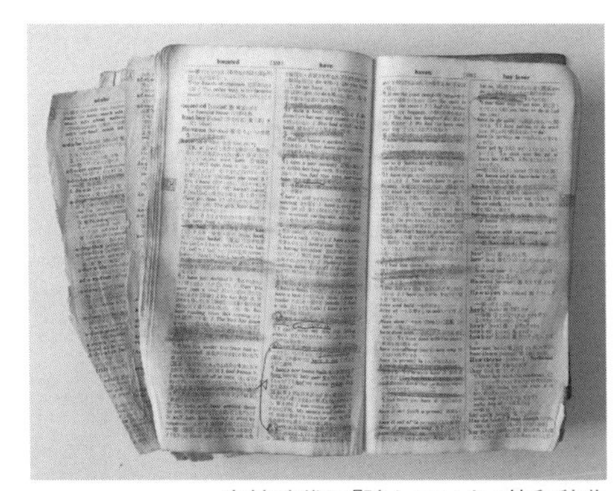
高校時代に「読んでいた」英和辞典

小中高校時代の教科書などは、50年以上も前の話ですから保存はしていませんが、英語の辞書だけは一冊手元に残っています。旺文社の『シニア英和辞典』（東京外語大学長、小川芳男編）で、1963年の刊行です。写真で分かるように、使い古してぼろぼろになっています。しかも、どのページ、どの単語にも赤鉛筆や赤のボールペン、青の万年筆で線が引いてあります。

大変使いやすく、分かりやすい辞書だったと記憶していますが、新しい単語に出会う度に赤鉛筆でアンダーラインを引きながら、読んでいったのです。単語の意味を調べるだけでなく、その単語について辞書に書いてあることを全部読むのです。

たとえば、'swim' という単語を引いてみると、最初に「泳ぐ、水泳する」と出ています。そして、'swim against(with) the current' という熟語があり、「流れにさからって（そって）泳ぐ：時世にさからう（順応する）」と説明してあります。この表現を自分もいつか使ってみようなどと考えます。また、「目まいがする」という意味も書いてあり、"My head swims." という例文が記してあり、「目まいがする」と訳してあります。このように、全て読むと 'swim' という単語について、いろんなことが学べます。

次に、熟語ですが、文章の中で、たとえば 'get rid of' というのに出くわしたら、まず 'get' を探して見ると、1ページ半にも渡って説明がありますが、この熟語は見つかりません。そこで、'rid' を辞書で引いてみると、この熟語が書いてあって「〜を免れる、除く、追い払う、片付ける」という説明があります。そして、"I can't get rid of my cold." という例文が載っていて、「風邪がぬけない」と訳してあります。

以上のように、辞書を「読む」ことに精を出しました。もちろん時間はかかりましたが、その分、単語や熟語をよく覚えることができました。小説を読むように、辞書を読むことをお勧めします。

対訳本で文学も楽しむ

高校時代の英語の勉強でもう一つ心がけたことは、対訳本を読んだことです。たとえば、チャールズ（Charles ）とメアリー（Mary）のラム（Lamb）姉弟が児童のために書いた『シェイクスピア物語（The Tales from Shakespeare : Designed for the Use of Young People）』（1807年）という本がありますが、これが英語学習用の対訳本として出版されていました。子供向きに書かれていますから、文章はさほど難しくありません。見開きの左ページに英語、右ページに日本語訳となっていて、巻末には練習問題(Exercises)まで付けてあります。

他にもたくさんの作品が対訳本として出版されていましたが、まずは辞書を引きながら左ページの英文を読解していきます。だいたい理解したところで、確認のために右ページの日本語訳を読みます。長文読解の練習と文学作品の鑑賞の一石二鳥となるのです。私がシェイクスピアの大ファンとなったのは、高校のときに対訳本でその作品に触れたことがきっかけだったと思います。

フランスに留学中に、何度もイギリスに行きましたが、最初にロンドンで買ったのが英語のシェイクスピア全集でした。そして、有名な一節、たとえば「弱き者、汝の名は女なり（Frailty, thy name is woman.）」など多数を英文で暗記しました。後年、国際的な仕事が増え、イギリス人との夕食会などで、シェイクスピアの作品の中からうまく引用すると、教養ある日本人として尊敬されました。

高校生になると英語の学力も上がり、辞書さえあれば英文の読解は可能になりますので、対訳本を読むこともまた勧めたいと思います。英語力を向上させながら、教養を身につけることができます。

二つの弱点

私が高校生のときというと、もう50年前になりますが、その時代の英語教育には二つ弱点がありました。一つは作文、もう一つは発音です。

作文については、英語で文章を作成するのですから、これはイギリス人やアメリカ人などのネイティヴ(native)の人に正しいかどうかを判断してもらうしかありません。「私は学校に行きます。」という簡単な文章なら、“I go to the school.”と誰でも書けますが、少し複雑な文章の場合、どのように書くのが正しいのか、やはり日本人の先生では100%確証が持てません。ネイティヴの人にしっかりと添削してもらう必要があります。しかし、当時の地方の高校にはネイティヴの講師はいませんでした。今では、多くの高校にいますので、この問題は解決していると思います。

紙と鉛筆で英作文をする作業を、頭の中で瞬時に行って口に出すのが英会話です。そこで、英作文の能力が向上すれば、会話も上手くなるはずです。

発音も問題でした。やはりネイティヴの先生が必要です。今では、CDをはじめ、英会話の教材が充実していますので、それで十分対応できますが、50年前にはテープレコーダーが使えるくらいでした。私は、NHKラジオの英会話教室を聴いて練習しましたが、自分の間違った発音をその場で訂正してくれるネイティヴの先生にはかないません。

今は日本も国際化し、たくさんのネイティヴの人が住んでいますし、学校にもネイティヴの講師が派遣されており、正しい発音を学ぶ機会は圧倒的に増えています。また、クラスに帰国子女などがいれば、彼らから発音を学ぶこともできます。随分と恵まれた学習環境になったと思います。

ロシア語への興味

私が英語の次に学んだのはロシア語です。高校生のときです。小説を読むのが好きで、とくに長編小説を読み始めると途中で止められなくなり、夜が明ける頃まで熱中したこともありました。受験勉強と両立させながら、寸暇を惜しんで読書に耽りました。

トルストイが書いた『イワンの馬鹿』を子供の頃に読んだからか、高校生になってから、『戦争と平和』や『アンナ・カレーニナ』に挑戦しました。当時は東西冷戦のまっただ中で、ロシアではなくソ連でしたが、トルストイに感銘してロシア（ソ連）という国をもっと知りたくなりました。そこで、ロシア語を学んでみようと思ったのです。

ロシア語の先生が近くにいるわけではありませんので、NHKのラジオ講座で、勉強を始めることにしました。ロシア文字のアルファベットを覚えていきましたが、同時にロシア語の響きが美しいことに感動しました。初歩程度の学習でしたが、ソ連邦に対する関心も増しました。後述しますが、大学生になってからロシア人の先生からロシア語を本格的に学ぶようになります。

トルストイからロシア語への道案内をしてもらったおかげで、ロシア文化についても多くのことを学ぶことができたのです。そして、それは公職に就いてからロシアを訪問することになったときに、大いに役立ちました。

このロシア語の学習で、私は、ある国に興味を持ったら、まずその国の言葉を学んでみるという習慣を身につけました。そして、外国を訪問するときには、最低限の挨拶くらいはその国の言葉でできるように勉強してから飛行機に乗ることにしました。

そのため、本棚には、『カンボジア語入門』、『タイ語入門』、『インドネシア語入門』といった外国語の入門書が並んでいます。留学先が主としてヨーロッパ諸国でしたので、本書ではヨーロッパの言葉を中心に書いていますが、成人してからアジアの言葉にも次々と挑戦しました。とくに学習したのが、韓国・朝鮮語でした。ハングルも何とか読み書きできるようになりましたが、日本人にとっては、文法体系、語順などを考えると、最も習得の容易な外国語ではないでしょうか。

アジア諸国には、選挙などの政治情勢、戦争などの取材に行くことが多かったのですが、現地の言葉を努力して話すと、皆が親切にしてくれて、仕事もはかどりました。言葉は、新しい国、新しい文化への扉を開けてくれる素晴らしい道具だと思います。

英語だけを学んでいたときに、独学でロシア語に挑戦したことは、外国語学習への情熱を私に植え付け、どんな言語でも学んでやろうという意欲を持つことにつながったようです。

「サウンド・オブ・ミュージック」の世界

外国語学習と関連して、高校時代のもう一つの思い出は、ある映画を見たことです。

それは、ジュリー・アンドリュース主演のミュージカル映画「サウンド・オブ・ミュージック」です。この映画は1965年に公開されましたが、高校2年生のとき、この映画を見てたいへん感動しました。アルプスの広大で美しい風景、そしてストーリー展開、数々の名曲、ジュリー・アンドリュースの歌唱力など、新鮮な驚きでした。

このミュージカルの物語はよく知られていますが、舞台はオーストリアのザルツブルクで、時代はヒトラーが政権をとって5年後の1938年のことです。ヒトラー政権は、第一次大戦の敗戦で失われた領土の回復、ドイツ民族の栄光の復活などを掲げて、再軍備と積極的な外交を展開していきます。1938年の3月13日にはオーストリアを併合（独墺合邦、ドイツ語では「アンシュルス（Anschluß）」）しますが、まさにその時代に展開されるのが「サウンド・オブ・ミュージック」で描かれた家族の物語なのです。

独墺併合でナチスの支配下に入ったオーストリアで、墺海軍の退役軍人トラップ大佐にドイツ海軍から招集命令が届きます。しかし、トラップ大佐は、音楽コンクールに家族合唱団として参加することを理由に出頭を猶予してもらいます。そして、コンクールの審査中に劇場から抜け出し、中立国であるスイスに徒歩で逃亡するのです。

私は、この映画を見て、高校生なりに、この時代のことをもっと知りたい、できればヨーロッパに留学して、オーストリアやドイツも訪ねてみたいと考えるようになりました。

この思いが大学に進学してドイツ語などのヨーロッパの言葉を学び、大学卒業後、欧州諸国に留学することにつながるのです。「サウンド・オブ・ミュージック」の感動が、私の外国語学習に拍車をかけることになりました。

東京大学での外国語学習

第二外国語はフランス語

受験勉強の成果があがって、1967年春に東京大学の入試に合格し、文化１類に入学して法学部を目指すことになりました。

入学するときに、第一外国語の英語に加えて、第二外国語を選ばなければなりません。当時は、フランス語、ドイツ後、ロシア語、スペイン語、中国語（今は、これにイタリア語と韓国・朝鮮語が加わっています）の中から選択するのですが、私はフランス語とドイツ語は学びたいと思っていました。

そこで、第二外国語にフランス語を選び、希望者が受講できる第三外国語にドイツ語を選択しました。仏語も独語も初めて習う外国語で、まさにA、B、Cの発音から始まって、一語一語単語を記憶していきました。

フランス語については、初級者用の文法の本、読本、動詞の活用表の三つを使って、ほとんど毎日のように授業がありました。動詞の活用を覚えないと上達しないので、毎週のように小テストがあり、まさに、手、目、口、耳の全身を使って暗記に次ぐ暗記の努力でした。

このフランス語の授業で感じたのは、第一にABCから始まって、基本的な文法体系の習得まで集中的に授業を受けることの意味です。その後も、数々の外国語を学びましたが、第一歩で集中できるかどうかで学習成果が大きく異なります。今振り返っても、初歩段階での集中度合いに応じて、身につき方も違ってきます。

また、大学の授業の良さは、学友と一緒に学ぶことです。

ミスをしたり、小テストの成績が悪かったり、自信を失いそうになったりしたときに、自分以上に成績が悪くて先生に叱られている学生がいると、安心します。集団学習の良さです。

当時は、フランス人の先生はおらず、すべて日本人の先生が教えましたが、さすがに東大で、フランス人もびっくりするくらいに訛りのないフランス語を話す先生もいました。

半年で基礎を固めた後は、教科書用に編集されたテキストを読んでいきます。モーパッサン、メリメなどフランス作家の短編小説で、読解の助けになるように、難しい言葉には日本人の編集者が注釈をつけています。またサルトルやボヴォワールの評論集、デュラスの『ヒロシマ、私の恋人（Hirosima, Mon amour)』、サガンの『悲しみよ、こんにちは（Bonjour tristesse)』なども読みました。

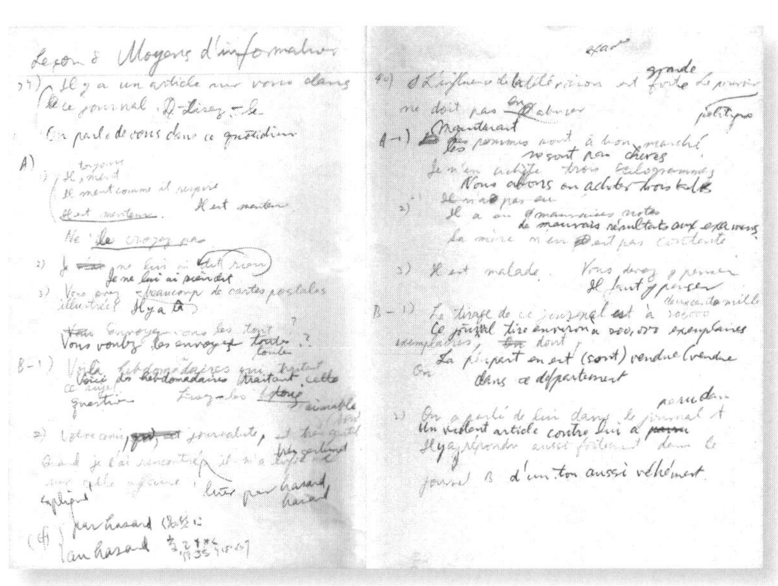

当時のフランス語学習ノート

これらのテキストは今も保存していますが、1回に10ページ位のスピードで、輪番で学生が翻訳させられます。昔風に言えば、「原書講読」といった感じです。先生が細かくチェックしますので、手抜きするわけにはいきません。50年以上前に使ったテキストのページを開いてみると、辞書を手に格闘した痕跡が残っています。このような地道な学習が、最後には大きな花を咲かせると思います。

仏和辞典も頑張って「読む」ことに力を注ぎましたが、この辞書もボロボロになりました。フランス留学のときに持って行ったと思いますが、おそらく帰国するときに少しでも荷物を減らすために、パリに置いてきたと思います。

使わないと勿体ない第二外国語

私の第二外国語、フランス語は、研究者になってフランスで仕事をするようになり、大いに役立ちましたし、今でも錆び付かせないで、フランス人との議論、読書などに利用しています。しかし、一般的に、大学の教養課程で必須科目として学ぶ第二外国語は、ほとんどの人が使わないまま朽ち果てさせてしまっているのではないでしょうか。

2年間も使って学習しながら、身にもつかず、使いもしないというのは勿体ないかぎりです。今は英語が国際語として全世界で通用しますので、英語だけで十分だという考え方もあります。そうであれば、大学では第二外国語などを教えないで、英語の上達に全力を挙げたほうがよいのではないでしょうか。

実は、中学3年間、高校3年間、大学2年間の合計8年間（小学校から始める人はもっと多くの時間）を費やしながら、英会話もまともにできないというのは問題があります。大学を卒業するときに、高校時代よりも英語が上手くなっている学生は全体の何割くらいでしょうか。少数派だと思います。これでは、何のための大学での英語教育かということになります。

英語については後述しますが、私は、第二外国語の学習は続けるべきだと思います。それは、言葉はその国の文化そのものだからです。仮に私が英語しかできなかったら、フランス文化について今のようには理解することはできないと思います。

フランス語をきちんと学ばないで、フランス革命などを題材にして小説を書いている作家がいますが、その方の作品を読んでいて、人名表記などのミスを発見することがあります。フランス語の発音を学んでいれば犯さない間違いです。

英語に加えてもう一つ、フランス語、ドイツ語、ロシア語、スペイン語、中国語、ハングルなど、どれでもよいので、もう一つ外国語を習得することは、自分の教養の質を高めることになります。日本とも英米とも違う文化に接することで、多様なものの見方を身につけることができますし、異文化に対して寛容な態度をとることができます。

今の日本の大学の教養課程で教える第二外国語は、ほとんどの学生が十分に習得しないままの状況です。たとえば、フランス語については、文学部のフランス文学科に進学でもしないかぎり、後は忘れるばかりです。もちろん、社会人になっても活用していません。実に勿体ないかぎりです。何らかの改革をすべきだと思います。2年間という学習期間が短か過ぎるのであれば、大学4年間、週に1～2時間でもよいから継続するのも手かもしれません。

私は、語学と自転車は似ていると思います。子供のときに、自転車に乗れるように訓練した日々を思い出して下さい。誰かに自転車の後部を支えてもらいながら、何度も転びながら、バランスの取り方を学びます。何回となく挑戦して、遂にペダルだけで前に進めることに成功します。後は、訓練のみで、回数を重ねる度に、めきめきと上達していきます。

こうして身につけた自転車運転術は、一生失われることはありません。語学もそれと同じで、ある一定の水準まで到達すると、すっかり自分の能力の一部になっていますので、簡単には忘れません。大学の教養課程で教わる第二外国語については、ほとんどの人が十分に上達しない前の段階で学習を止めたのではないでしょうか。自転車で言えば、運転技術を習得する前に練習を止めた状態だと言えます。

そこで、2年間で足りないのならば、大学3年生、4年生になっても続けていって、十分に上達するようにすればよいのではと提案するのです。

次に、せっかく教わった第二外国語を忘れないためには、毎日一度は、たとえばフランス語の文章に接することが大事です。後述しますが、今はスマホさえあれば、これは簡単に実行できます。

私が学生の頃には、スマホはありませんでしたので、就寝前にパスカル (Blaise Pascal,1623~62) の『パンセ (Pansées、随想録)』を一節ずつ読むことにしました。このエッセイには、「クレオパトラの鼻がもう少し低かったら世界の歴史は変わっていたであろう (Le nez de Cléopâtre : s'il eût été plus court, toute la face de la terre aurait changé.)」といった有名な文句などが散りばめられています。日本語訳を手元に置いておけば、翻訳に自信がないときに参照して疑問を解くことができます。

私は、第一外国語の英語、第二外国語のフランス語、そして、第三外国語のドイツ語の最低3つの言語は一生使い続けたいと思いましたので、一日に一回は、この三つの言葉に触れるようにしました。後で詳しく述べますが、そのために活用したのが、英語は新聞『ニューヨークタイムズ (The New York Times)』、フランス語は『パンセ (Pansées)』、ドイツ語は雑誌『シュピーゲル (Der Spiegel)』です。朝は英字新聞、午後はドイツの雑誌、寝る前はパスカルの言葉と、10分ずつ30分の外国語時間です。わずかの時間でも毎日続けることが大事で、まさに継続は力なりです。

後で説明しますが、今は、紙媒体の新聞紙も雑誌も本も不要で、スマホ一つあれば、電子媒体で同じことができるようになりました。素晴らしい時代の到来です。

第三外国語はドイツ語

高校生のときに見て感激したミュージカル映画『サウンド・オブ・ミュージック』の影響で、ドイツやオーストリアに行ってみたいと思っていましたので、ドイツ語は必ず習得しようと思っていました。そこで、必須科目の第二外国語として選ばなくても、学習意欲があるから自由選択の第三外国語でよいという判断でした。

第三外国語の授業は、3つ目の外国語を学ぼうという意欲のある学生たちの集まりでしたから、先生も教え甲斐があると言って熱意を持って鍛えてくれました。問題は、授業時間の少なさです。第二外国語のフランス語は、週に5～6時間と、ほぼ毎日のように授業がありました。先に外国語学習は集中して学ぶのが大事だと書きましたが、この「集中の原則」(私は、こう名付けたいと思います) が機能しないのです。

第三外国語でというのは、有志の勉強会のような感じで、週に1時間のみです。しかし、よく勉強して第二外国語のドイツ語クラスに負けないように上達しました。文法などは、自分で携帯ノートを作って、キャンパスを歩きながら「デア、デス、デム、デン(der, des,dem,den)」などと、念仏を唱えるように覚えていったものです。

フランス語とドイツ語を同時に学ぶのですが、フランス語とスペイン語とイタリア語のようにラテンの同系統の言葉と違って、全く体系も単語もかけ離れた言葉ですから、混同して混乱を来すということはありませんでした。たとえば、ドイツ語の動詞の活用は英語に似ていますが、フランス語は何倍も複雑ですから、混同する恐れは全くありません。

今から振り返ると、ドイツ語とフランス語の組み合わせは、二カ国語を同時に学ぶには最適だったように思います。そして、フランス語を習熟した後に、スペイン語→イタリア語と順に同系統の外国語に挑戦していったのも、上手な外国語攻

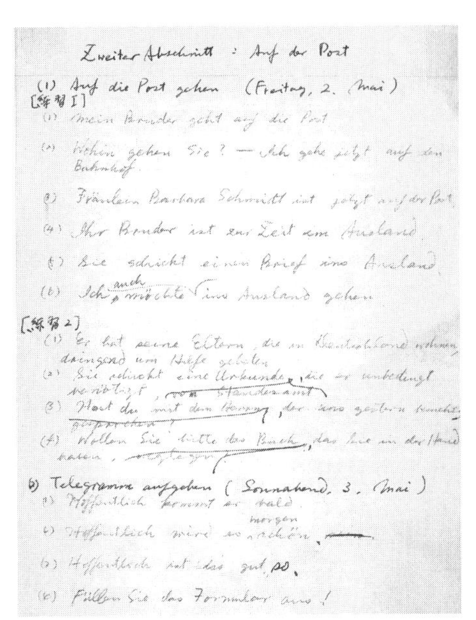

Zweiter Abschnitt : Auf der Post

(1) Auf die Post gehen (Freitag, 2. Mai)

[練習 I]

(1) Mein Bruder geht auf die Post

(2) Wohin gehen Sie? — Ich gehe jetzt auf den Bahnhof.

(3) Fräulein Barbara Schmidt ist jetzt auf der Post

(4) Ihr Bruder ist zur Zeit im Ausland

(5) Sie schickt einen Brief ins Ausland

(6) Ich auch möchte ins Ausland gehen

[練習 2]

(1) Er hat seine Eltern, die in Deutschland wohnen, dringend um Hilfe gebeten

(2) Sie schickt eine Urkunde, die er unbedingt benötigt, vom Standesamt

(3) Hast du mit dem Herrn, der uns gestern besucht, gesprochen?

(4) Wollen Sie bitte das Buch, das Sie in der Hand haben, weglegen?

(2) Telegramm aufgeben (Sonnabend, 3. Mai)

(1) Hoffentlich kommt er bald.

(2) Hoffentlich wird es morgen schön.

(3) Hoffentlich ist das gut so.

(4) Füllen Sie das Formular aus!

当時のドイツ語学習ノート

人称代名詞

	単数	複数
1人称	ich	wir
2人称	du Sie	ihr Sie
3人称	er (彼は) sie (彼女は) es (それ・これ・あれは)	sie

●sein[zain] の人称変化 (現在)

ich	bin [bin]	wir	sind [zint]
du	bist [bist]	ihr	seid [zait]
er	ist	Sie sind sie	sind [zint]

●haben[há:bən] の人称変化

ich	habe	wir	haben
du	hast	ihr	habt
er	hat	sie	haben

Sie haben

数	格	1人称	2人称	3人称 m.	3人称 f.	3人称 n.
	1	ich	du (Sie)	er	sie	es
	2	meiner	deiner (Ihrer)	seiner	ihrer	seiner
	3	mir	dir (Ihnen)	ihm	ihr	ihm
	4	mich	dich (Sie)	ihn	sie	es
	1	wir	ihr (Sie)		sie	
	2	unser	euer (Ihrer)		ihrer	
	3	uns	euch (Ihnen)		ihnen	
	4	uns	euch (Sie)		sie	

手作り文法携帯メモ

略法であったような気がします。

大学の教養課程2年間の外国語学習を振り返ると、もちろんフランス語のほうがドイツ語より遙かに上手くなっていました。しかし、ドイツ語の基礎はしっかりと習得できたと思います。これは、英語やフランス語と同じように、目、口、耳、手と全身で学んだからです。「集中の原則」と並んで、これを「全身の原則」と名付けたいと思います。

東大をはじめ、当時の大学の社会科学系の授業では、マックス・ヴェーバー（Max Weber）が一世を風靡しており、『プロテスタンティズムの倫理と資本主義の精神』などの著作を読みふけりましたが、脚注も多く、難解でした。そのヴェーバーの著作を、第三外国語のドイツ語授業の仕上げにテキストにして読んだのですから、先生も学生もよく頑張ったと思います。

学生のときには、受験生用の家庭教師などのアルバイトにも励みましたが、ドイツ人に日本語を教える仕事を引き受けたこともあります。それは、ドイツ系企業に勤務するドイツ人幹部に初歩的な日本語会話を教えるというものでした。ドイツ語で教える能力はありませんでしたので、英語を使いました。週に1～2度、早朝にそのドイツ人の自宅に行って、出勤前に会話の練習です。ドイツ人というのは勤勉だなという感想を持ちましたし、少しはドイツ語を使う機会もあり、ドイツが身近に感じられたものです。

また、法学部に進学してから、友人の美術仲間の紹介でドイツ人の銀行家と親しくなる機会がありましたが、その方のご婦人はオーストリア人でした。彼らはオーストリア国境に近い南ドイツに大きな屋敷を構える元貴族で、私が公務で南ドイツを訪問したときに、招かれてその広大な御殿に滞在したことがあります。

ドイツ・オーストリアというと、まさに『サウンド・オブ・ミュージック』の世界で、学生時代からドイツ語の学習を通じて、何かに導かれるようにドイツに引きつけられていったようです。

イワン先生に習ったロシア語

こうして、英語の他にフランス語とドイツ語の基礎を東大駒場キャンパスで学ぶことができました。さすがに、第四外国語というのは、他の授業科目の関係で学ぶのは不可能でした。可能であれば、高校生のときに独学で始めたロシア語を習いたいと思ったのですが、これは諦めざるをえませんでした。

法学部に進学し、キャンパスも駒場から本郷に変わりました。ある日、学生課の掲示板に「ロシア語塾生徒募集」の紙が貼ってあるのに気づきました。日本語の達者なソ連のジャーナリストが東大で私塾を開いていたのです。

これ幸いと、早速入門し、月に何千円かの月謝を払って、第一歩から教わることにしました。テキストは、今でも保存していますが、『ポターポヴァ　ロシア語初級コース』という本でした。

ロシア語のアルファベットは、英語やフランス語と異なり

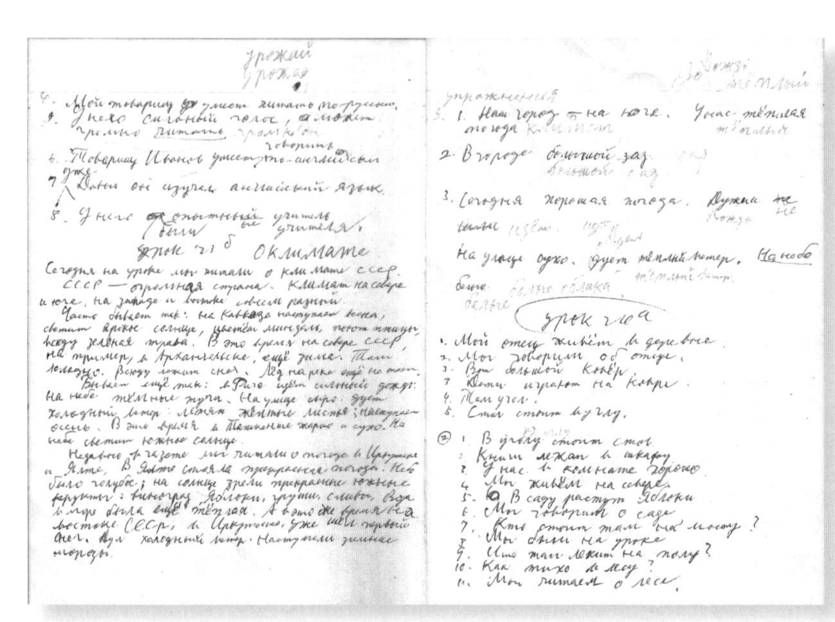

当時のロシア語学習ノート

ますので、まずこれはしっかりと書いて覚えました。週に一度ですが、きちんと予習と復習をして、最初のうちはかなり上達しました。当時の学習ノートの一部が今でも手元にありますが、コツコツと「全身の原則」を実行していた痕跡が残っています。

発音については、ネイティヴのロシア人ですから、これは完璧です。後年、ロシアに行って、少しロシア語で会話をする機会がありましたが、正しい発音だとロシア人に褒めてもらいました。

ただ、問題は文法の説明が十分ではなかったことです。英語、そしてフランス語やドイツ語は、日本人の先生が日本人のものの考え方に合わせて説明してくれます。そこで、たとえば日本語の文法と比較しながら論理的に頭に詰め込んでいくことができました。これは、重要なポイントで、ロシア人の先生だとこうは行きません。

今振り返ってみると、私の努力不足もありますが、ネイティヴの先生に教わったロシア語、スペイン語、イタリア語が自由自在に使えるほど上達せず、日本人の先生に習った英語、フランス語、ドイツ語のほうが上手くなったのは皮肉なことです。それは、実は理由があるのだと思います。

幼児期に日本語の論理回路が形成された後に習う外国語は、日本人の先生が日本人向けの論理で文法の説明をするのが一番身につくということだと思います。ロシア人はロシア語の、スペイン人はスペイン語の、イタリア人はイタリア語の思考回路で教えましたので、日本人の私には、どうも理解しにくかったようです。

そこで、私の外国語上達の秘訣の第三は「先生は日本人の原理」です。いったん、日本語を習得してしまったら（日本人が両親であるほとんどの日本人は、日本語のネイティヴ・スピーカーになります）、外国語の基礎は日本人の先生に教わったほうがよいということです。もちろん、その基礎の上にさらに上達を目指す段階では、ネイティヴの先生による教えが大いに役立ちます。

私は、フランス語については、この流儀でかなりのレベルまで上達することができました。

ところで、イワン先生の授業で欠けていたのは、小テストです。大学の授業では、単位を取るという目的もありますので、頻繁に行われるミニ・テストにも好成績をあげて最終評価につなげる必要があります。これは相当なプレッシャーでしたが、そのおかげでフランス語の動詞の活用を暗記することができたのです。

やはり、クラス全体で筆記試験を頻繁に実施してもらって、学友と励ましあって習熟度を高めていくというのが、最適な鍛え方だと思います。

イワン先生の私塾の思い出は、期末のパーティでボルシチのスープを作ったり、ピロシキを焼いたりして楽しんだことです。そこでロシア料理が大好きになり、値段も手頃なので、今でもよくロシア料理店に行きます。ソ連時代には、ロシア料理店に『今日のソ連邦』というソ連政府のグラビア広報誌が置いてあり、自由に持ち帰ってよかったので、自宅で共産主義者社会はどうなっているんだろうと興味深く眺めたものです。

そのソ連邦も崩壊し、今はロシア連邦になっています。しかし、体制は変わっても、『イワンの馬鹿』のロシアやロシア文化は変わらずに存在し続けています。ロシア語に接して良かったと思っています。

アルゼンチンの先生にスペイン語を教わる

大学の最初の２年間はフランス語とドイツ語に集中しましたが、法学部に進学してからロシア語に加えて、スペイン語の学習を追加しました。スペイン語は、アルゼンチンから来たアイーダというファーストネームの女性の先生にマンツーマンに近いグループ学習で教えてもらいました。ロシア語のイワン先生の私塾を少し小さくしたような感じです。

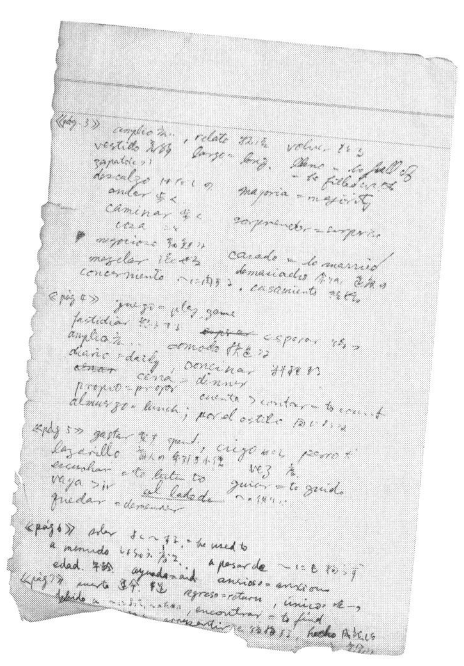

当時のスペイン語学習ノート

ネイティヴの先生ですから、発音は正確に教えてもらいましたし、会話もすぐに上達しましたが、ロシア語の場合と同様に、文法の説明と小テストが欠けていました。したがって、ロシア語の学習で露呈したのと全く同じ問題が出てきました。

繰り返しませんが、「集中の原則」、「全身の原則」、「先生は日本人の原則」を守らないと成果が十分に上がらないことを立証したようなものでした。

東大の英語の授業

東大入試の英語の試験問題の水準がいかに高いかは、英米人もびっくりするくらいですが、それだけに、「入学してからもまだ英語を学ぶ必要があるのか」というのが学生たちの疑問でした。学生たちがまずサボろうとするのが、英語の授業でした。しかし、毎回、先生が厳しく出欠をとります。そして、出席日数が不足すると単位をもらえません。そのために、仕方なく授業を聴くことになります。

当時は視聴覚機器や語学ラボのような設備もありませんでしたので、英文学などのテキストを毎回数ページずつ皆で読んでいくというのが主流でした。今のように英米から招聘されたネイティヴの先生が英会話を教えてくれるのなら、それは高校までにできなかったことですので、喜んで授業に出たと思います。しかし、東大駒場の英語の授業は、当時は、高校生のときの長文読解の延長のようなものでした。

英語の先生たちは、英文学を専攻する、たとえばシェイクスピアの専門家で、その道の大家ですが、必ずしも英語の発音がうまいというわけではありません。これは、後で自分が東大で教える立場になってわかったことですが、俸給を頂く以上、駒場でも本郷でも一定の授業を担当させられるのです。とくに語学の先生はたいへんで、たとえばフランス文学では世界最高の水準を誇る研究者でも、入学してきたばかりの学生にA、B、Cから教える仕事が義務になります。

最初は、学級担任の先生が英語の授業を受け持ちましたが、現代アメリカ文学の研究が専門で、トーマス・ウルフ（Thomas Wolfe）の短編 "Death the Proud Brother"（1935年）がテキストでした。『死よ、誇り高き兄弟』というタイトルで、日本でも後に翻訳されましたが、当時は、邦訳はありませんでした。1935年の作品で、大都会ニューヨークにおける4つの死をめぐる物語が展開していきます。

辞書を頼りに予習をしていきますが、独特な文体に苦労しました。同じ英文読解でも、高校生のときと違うのは、大学入試の準備をしているわけではありませんので、作品そのものを楽しむというゆとりがあることです。私は、すっかりウルフの虜になるとともに、ニューヨークという魔物のような都市に憧れを抱くようになります。

後年、アメリカの友人と二人でマンハッタン島を西から東に深夜歩いたとき、このウルフの短編小説を思い出したものです。いまでも家に水槽を設置して熱帯魚や金魚を飼っているのも、この小説でアクアリウムが出てくることに影響されたのだと思っています。

このような文学作品を言語で読む楽しさはありましたが、英語能力と言えば、語彙が増えたくらいで、発音がよくなったわけでも、英会話が上達したわけでもありません。しかし、一般教養を学ぶキャンパスでの授業としては評価できると思います。

もう一冊記憶に残っているテキストは、ギリシャ悲劇の英訳本です。ソフォクレスの『オイディプス王（King Oedipus）』で、Lewis Campbell が英訳したものです。これも英語能力の向上という点では、ウルフの短編と全く同じですが、戯曲をいかに読んでいくかという点では役に立ちました。

また、政治学を専攻することにしていましたから、政治の前提である人間理解という点ではギリシャ悲劇は最高でした。シェイクスピア、バーナード・ショー、ロバート・ボルトなどの戯曲を英文で読むことの難しさと楽しさを学んだと思います。

ウルフにしても、ギリシャ悲劇英訳本にしても、授業のテキストは英文学の専門家が解説と脚注を付したもので、これが読解を進める上で大いに役立ちました。フランス語やドイツ語の読本もそうで、こういうテキストが揃っているところは、日本の良さだと思います。英会話は上手くならなくても、古典的な英文読解にはこのようなメリットもあると今でも再認識しています。とくに18～20歳の若い頃に、しかも原文で接した文学作品は、その後の人生に大きな影響を与えます。

これからは、「英会話能力の向上」と「教養レベルの向上」の二本立てで、大学の英語の授業を組み立てるとよいと考えています。

ニューヨーク・タイムズをテキストに

ギリシャ悲劇といえば、ギリシャ文学の大家、久保正彰先生にも駒場で英語の授業を教わりました。先生は、日本の高校を中退して渡米し、ハーバード大学で古典語を専攻して卒業した日本を代表する西洋古典文学者です。30代で、日本で初めて『戦史』で有名なトゥキュディデスの作品を全訳しているのです。

助教授として就任された先生もまた、専門のギリシャ・ラテン語ではなく、教養学部で英語を教える義務を課されていました。それは、私たち学生にとっては幸運であり、それが一流教授の集まる東大の魅力でもありました。

ところが、ギリシャ悲劇のテキストは、他の先生が使ったもので、久保先生はギリシャとは関係ない全く別のテキストを使ったのです。

ハーバード大学を卒業しているのですから、並の英文学の先生よりは英語が上手いのは当然です。何と、アメリカの新聞、『ニューヨーク・タイムズ (The New York Times、NYT)』をテキストにすると宣言したのです。

NYTの日曜版には、Weekly Review という8ページの特集があり、そこには、一週間のニュースのまとめ、識者の論文、読書欄、文化時評などがあり、読み応えのある記事が満載されていました。

当時は、このWeekly Reviewを、2～3日遅れで東京の大きなキオスクでも購入することが出来ました。そこで、渋谷でそれを水曜日に購入して、日曜には辞書を頼りに終日読んでいました。大学教授などが書いた固い論文が多く、英文も、内容も難しくて骨折りました。

久保先生の授業は、ある記事を取り上げ、それを学生に読ませて、英文読解に誤りがないかチェックします。どの記事が自分に当たるか分かりませんので、事前に予習しておかないとアウトです。

また、8ページの中で、どの記事でも学生から質問があれば、答えます。これは、英語力に相当な自信がないとできない授業です。ハーバード時代に仲間のアメリカ人が使っていた英語についても、ときどき解説してくれました。

法学部に進学してからは、久保先生のギリシャ演劇論が、私の専攻する政治学にも役に立ちますので、よく読みましたが、私には先生の英語の授業が最高の思い出になっています。

大学1年生で読み始めたNYTは、その後、日曜版のみならず、他の曜日の新聞も、今日まで読み続けており、今は毎日国際版が宅配されてきます。技術の進歩で、今は、日曜版は日曜日に届きますが、コーヒーを飲みながら、これを読むのが日曜日の楽しみになっています。

NYTは50年間、フランス留学のときに読み始めたフランス紙『ルモンド (Le Monde)』は45年間読み続けています。

まさに「継続は力なり」で、英語やフランス語の能力向上に大いに役立っていると思います。アメリカに行ったとき、NYTを読みながら覚えた表現を念頭において、大学などでの議論に活用したものです。

外国人で50年間日本の新聞を読み続けている人は、おそらく日本語がうまいはずです。「外国語の新聞を読む」ということも、お勧めしたいと思います。今は、ネットで電子版に簡単にアクセスできる時代です。後で説明しますが、これを活用しない手はありません。せっかく苦労して身につけた外国語を忘れ去ってしまわないためにも、毎日10分でも、その言葉で書かれた新聞や雑誌や本を読むことが有効な武器となります。

海外での生活の中で

フランス留学試験に挑戦

東大紛争で3ヶ月遅れたものの、1971年6月に東大法学部政治学科を無事に卒業しました。もう少し学問を続けたいと思いましたので、そのまま研究室に残ることにしました。東大法学部には、通常の修士→博士課程という大学院のコースの他に、直接文部教官助手として採用されるコースがありました。その特別のコースに入るには、成績が一定以上であることと政治学の場合、就職論文を書かねばなりませんでした。

私は、「吉田茂の政治指導」という論文を書いて、就職試験に合格しましたが、講座制などのいろんな事情もあって、ヨーロッパ外交史を専攻することにしました。その講座の教授は私が学生の頃に急死し、不在でした。ドイツが専門のヨーロッパ政治講座担当の教授の指導を受けながら研究を進めましたが、私は第一次世界大戦と第二次世界大戦の間の時期のフランス外交について助教授就職論文を書くことにしました。

毎日フランス語の文献を読みながら研究を進めましたが、この分野の専門家は日本でも少なく、東大法学部の研究室にはいませんでした。そこで、思い切って、この分野の世界的権威であるパリ大学のジャンバティスト・デュロゼル(Jean-Baptiste Duroselle)教授に手紙を書き、研究指導をお願いしました。

日本の若い研究者からの要請など無視されるだろうと思っていたところ、すぐに返事が来て、指導するからパリ大学に来いという命令です。嬉しいというよりは、「しまった、どうすればパリに留学できるのか」という心配が先に立ってしまいました。

フランス語文献は毎日読んでいましたが、会話など全く練習していません。デュロゼル先生への手紙も、きちんと書けたかどうか不明なくらいでした。私費で留学するよう余裕はありませんでしたので、奨学金などの制度を活用するしか手はありません。いろいろと調べた結果、フランス政府給費留学生（ブルシエ、boursier du gouvernement français）試験に挑戦することにしました。

筆記試験は何とかなりましたが、口頭試問はお手上げでした。フランスのバカロレアのような感じで、抽選で当たった紙に書いてある質問、たとえば「『神は死んだ』という意見があるが、どう思うか」とか「立憲君主制の利点と問題点を述べよ」とかいう問いに対して、30分の準備思考時間の後に、フランス語で答えねばなりません。

この試験の他に、受け入れ大学、指導教官などの留学計画も考慮され、最終的に合格することができました。50年前のフランス留学と言えば、音楽、絵画などの芸術部門志望者が圧倒的多数派で、私のように歴史や社会科学を専攻する者は少数派でした。

日仏学院でフランス語の特訓

とにかく数ヶ月後には、フランスに旅立たねばなりません。デュロゼル先生はパリ大学・第一（l'Univeristé de Paris 1）の現代国際関係史研究所（l'Institut de l'histoire des relations internationals contemporaines) に属していましたので、ここに研究員として入所し、論文を書くことを正式にフランス政府が承認し、奨学金も支給してくれることになりました。

先生との会話がうまくできるのか、他の研究員や学生との討論はどうか、フランス語できちんと学術論文が書けるのかなど、不安の材料は山ほどありました。そこで、急遽、飯田橋にある日仏学院 (l'Institut français) に通って会話の練習をすることにしました。

会話のみならず、フランスの新聞を読みながらのジャーナリズム論などの講座も役に立ちました。10人程度のこぢんまりとした小クラスで、ほとんどの人がフランス留学準備組でした。私と同じく、ブルシエとして出発する人もいました。

フランス人のネイティヴの先生と、会話の練習です。日常生活でよく使う表現を暗記していきました。また、ネイティヴの先生が喋るフランス語が聞き取れるように耳に神経を集中させました。フランス語はリエゾンと言って、子音が後に来る母音と連結して発音されます。たとえば、ナポレオンの棺が安置されているパリの廃兵院(l'Hôtel des Invalides)は、院(l'Hôtel)を省略してles Invalides　と言いますが、les の最後のs と　Invalides の最初inを連結してsin（ザン）となりますので、全体は 「レザンヴァリッド」と発音するのです。

これは、何度も耳にして慣れるほかはありませんが、直接フランス人の先生と会話をすると、次第に耳が慣れてくるものです。

とにかく、目先にフランス留学が控えていますので、私たちのクラスの学習意欲は抜群で、めきめきと上達していきました。同じクラスのブルシエと一緒の飛行機に乗って渡仏しましたが、彼は今では高名な画家として活躍しています。

グルノーブル大学へ

1973年6月、24歳の私はパリへ飛ぶ機中の人となりました。当時、成田空港はまだ開港していませんでしたので、羽田空港から出発し、まずアラスカのアンカレッジに到着し、そこで給油をします。米ソ冷戦時代でソ連の上空は飛行できないために、北極圏経由のルートです。パリに到着するのに18時間もかかる長旅でした。

早朝にオルリー空港に着きました。ドゴール空港が開港するのは、翌年の1974年のことです。空港にはフランス政府の担当官が出迎えです。必要な説明を受けた後、3ヶ月間の語学研修のため、専門に応じて地方の大学に派遣されます。美術や音楽などはボルドー、ニースなど、私は社会科学なのでグルノーブルと、それぞれの分野で業績のある地方大学が指定されます。グルノーブル大学は、政治学などでパリ大学に比肩する教育研究内容を誇っていました。

狭い飛行機の中でほとんど眠れず、徹夜状態でしたが、担当官はブルシエ仲間を連れてパリの見物にくりだしました。初めて見る華の都パリは輝いており、見るもの、聞くもの、すべてが刺激的で興奮し、眠気も催さないくらいでした。

こうして、初めてのパリを満喫して、リヨン駅から夜行列車に乗り込みました。

ここからは一人旅です。寝台列車ではありませんので、対面式の４人掛けに座ったまま仮眠しながらグルノーブルに向かいました。日本と違って、フランスの列車には車掌のアナウンスなどありませんから、到着時間になると自分で荷物をまとめて下車しなければなりません。緊張のあまり、眠れないまま夜汽車の旅でした。若くて体力があったからできたことです。

夜行列車は、早朝にグルノーブル駅に着きました。降りるときには、周りの乗客が荷物を運んだりして手伝ってくれました。旅先での、人々の親切には心が和みます。駅から、バスに乗ってキャンパスに向かいます。

キャンパスでは、係員がパリからの連絡で私の到着を待っており、必要なガイダンスの上、学生証や学生食堂で使える食事チケットを渡してくれ、大学寮の一室に案内してくれました。まさに至れり尽くせりで、私費留学生から見るとブルシエが「貴族」に見えるというのが理解できました。

学生寮の自分の部屋に落ち着き、スーツケースから荷物を取り出して、シャワーを浴びると、ほっとしたのか、すぐに3日ぶりのベッドで熟睡しました。こうして、人生初の海外留学が始まったのです。

24時間眠り続けて目が覚めると、空腹で、ランチのため学生食堂に直行しました。しかし、右も左も分からず、どうしたら食事ができるのか、皆目見当がつきませんでした。そこで、近くにいた背の高いフランス人の学生に、「日本から到着したばかりでフランスの学生食堂の仕組みがよく分からない」と相談すると、「僕と一緒に食べよう」と親切に付き合ってくれました。これがジャンリュックで、今も親交のあるフランス人第一号の友人です。

夏休みの間、私たちのような語学研修生に学生寮を開放するため、学生の多くは、故郷の両親の許に帰ったり、バカンスに出たりしますが、ジャンリュックのようにグルノーブルに残る学生もいました。彼は、町なかのアパートに住んでいました。

食事は、チケットを使うと100円くらいの負担でフルコースが出てきて、その安さと農業国フランスの食の豊かさに驚いたものです。ジャンリュックは、明日は友達も連れてくるので、また一緒に食べようと言って別れました。

そして、翌日も時間を合わせて、一緒のランチです。ピエールという学生も同行しています。こうして、フランス人の学生仲間の一員として迎えられ、次第に男女を問わず、フランス人学生との交流も広まりました。すぐにフランス語会話の実習が始まった感じです。この出会いは最高で、フランス語の向上にも大いに役立ちました。

語学研修の授業のほうは、日仏学院での授業とあまり大差はなく、しかも外国人留学生が対象なので、外国人の間違った発音などが耳に入り、あまり生産的ではありませんでした。とくに、スペイン語やイタリア語といったフランス語と同系列の言語を母国語とする学生は、自国語に引きつけて不正確なフランス語を喋りますので、フランス語の習得に邪魔になります。

そこで、授業は義務的なもの最小限にとどめ、あとは、ジャンリュックたちと時間を共にすることを優先させたのです。そのほうが遙かにフランス語の習得に役立つことが分かったからです。

アルプスの麓、スタンダールの町

グルノーブルは、アルプスの麓の町で、1968年には冬季オリンピックが開かれています。『赤と黒』、『パルムの僧院』などの作品があるスタンダールもこの町の出身です。

人口約15万人の中規模の都市で大学も美術館もあり、スポーツ施設も充実しており、生活するには快適なところです。夏は山歩き、冬はスキーを楽しむことができます。日本で言えば長野県の上田市のような都市で、アルプスの麓で、気候も、そして特産品が胡桃であることも似ています。

私の語学研修は夏でしたので、フランス人仲間と町を散策し、カフェに入ってジュースを飲んだり、ウィンドウショッピングを楽しんだりしました。当時のフランスは、最近のように猛暑ではなく、乾燥していますので木陰に入ると涼しく、クーラーなどを設置している家はありませんでした。

当時の最大の娯楽は映画で、皆でよく見に行きました。恋愛ものなどの娯楽作品からナチスによる占領時代やアルジェリア戦争を題材にした歴史ものまで多数鑑賞しましたが、フランス語のよい勉強になりました。映画が終わると、ボリュームたっぷりで、しかも低価格のイタリア料理店に行って、食事をしながら映画の感想を語り合います。映画の主人公が喋った言葉がよく分からなかったときは、フランス人仲間が懇切丁寧に説明してくれます。

　また、辞書に載っていないような表現、とくにスラングは、ポケットに入る小さなノートを常備して、それに書いてもらうことにしました。卑語なども含まれていたために、このノートを「秘密のノート」と称して大事にし、今でも保存しています。皆が「要一の秘密のノート（le carnet secret de Yoichi)」と呼んで、次々と面白い表現を教えてくれました。たとえば、私たちはカフェ（そこにはアルコール飲料もある）に入り浸りましたが、そのような人を“ pilier du bistro”と言うのだそうです。日本語に訳すと、「ビストロ(居酒屋)の柱」、つまり「ビストロの常連客」という意味です。

　フランスパン（バゲット）とハムとチーズとワインを用意して、アルプスの山歩きもしました。素晴らしい自然です。映画『サウンド・オブ・ミュージック』の冒頭に出てくるような一面が緑の光景です。山頂のほうに向かうと、雪渓があり、真夏でもジャンパーがなければ寒いくらいです。途中の村で、農民の手作りのフロマージュ・ブランを買って食べましたが、あまりのおいしさに感激しました。

　日曜日は、学生食堂も町のレストランも休みなので、ジャンリュックと二人で自炊生活です。スパゲッティとハムとバゲットでランチです。今でも、日曜日のお昼になると、この組み合わせを食べたくなります。夜は皆で映画を見て、イタリア料理店で夜更けまで食事を楽しみます。

　週末は、フランス人は休みますが、イタリア人の経営する店は営業をしていましたし、値段も安いので「イタリア人万歳！」といった感じでした。フランス人学生とともに、ピエールのガールフレンドで完璧なフランス語を喋るモニカというイギリス人女子学生も加わりました。またジャンリュックの友人のトルコ人学生、ジェラレティンも仲間入りです。彼もフランスで学位をとったくらいなので流暢なフランス語を喋ります。

ジェラレティンは、帰国して外交官となり、リビア大使などを歴任しました。私も参議院の外交防衛委員長となり、同じ外交畑ということで、メールの交換などは行っていますが、残念ながら再会する機会に恵まれていません。ジャンリュックとは、参議員時代にスイスに行った際に再会を果たしています。

ピエールとジャンリュックと

こうして、グルノーブルのサマーライフを満喫するとともに、フランス語を急テンポで上達させることができました。日本で、フランス語の文法などの基礎をしっかりと固めていたおかげで、フランスでフランス人のサークルに入って朝から晩まで会話を実践すると、見違えるようにフランス語で自分の考えを伝えることができるようになりました。

土台は日本人の先生ときちんと固める、そしてその上に現地に行って、現地の人々の中に入り込み、ともに生活して立派な建物を完成させるという方式が、外国語をマスターする王道ではないかと確信するに至りました。

グルノーブルでの3ヶ月の語学研修は、大きな成果をもたらしてくれたのです。

パリに上(のぼ)る

夏も終わり、秋の涼しさを感じながら、フランス人仲間たちと別れ、グルノーブルを去ってパリに上りました。

まずは住居の確保です。これも「ブルシエ」貴族の特権で、パリ国際大学都市 (la Cité Internationale Univeristaire de Paris) の学生寮に優先的に入居することができます。ここには、世界各国が学生寮を持っており、アメリカ館、ドイツ館、ギリシャ館、ブラジル館、日本館などが34ヘクタールの広大な敷地の中に点在していました。学生レストラン、図書館、スポーツ施設、郵便局、銀行などが設置されていました。

最初は、日本館に仮住まいすることにしました。この日本館は、別名「薩摩館 (la Fondation　Satsuma)」とも呼ばれますが、それは建設したのが薩摩治郎八だからです。彼は、木綿王薩摩家の三代目で、巨万の富を使ってパリで豪遊し、文化活動にも貢献するなどして「バロン (男爵) 薩摩」と呼ばれました。

第一次世界大戦後に、国会議員のアンドレ・オノラが提唱して、外国人留学生のための寄宿施設を建設することにし、世界各国に呼びかけましたが、関東大震災後の日本にはお金がありません。そこで、西園寺公望の要請を受けて、薩摩治郎八が全額出資して、1929年5月に日本館を完成させたのです。

因みに、パリ留学という点では、西園寺公望は私の大先輩で、1871年にパリに到着し10年も滞在して勉強し、欧州の文化を吸収しました。とくに、クレマンソーとは学友で、第一次世界大戦後に開かれたヴェルサイユ講和会議では、クレマンソーは、全権として出席した西園寺が日本の立場を守るのを助けてくれました。

このような歴史の重みのある日本館に入りましたが、壁には藤田嗣治の大作が飾られていました。治郎八が藤田と親交があったからです。館長は、哲学者の森有正先生でした。私と同様に東大の文部教官のときにフランスに留学し、そのまま帰国せずにパリに居着いたのです。森先生とは、東大の因習、パリの魅力などについてよく語り合いました。

快適な環境ですが、日本館の問題は、日本人留学生が多くて、フランス語を喋る機会が少ないことです。そこで、フランスの地方が共同して運営する「フランス地方館 (la Maison des Provinces de France)」に遷ることにしました。地方出身のフランス人学生が数多く入居していました。私の隣の部屋もフランス人学生で、日本語ではなくフランス語を使う機会が増えました。

こうして、まずは住居の確保が終わりました。

大学、外務省、国会

次は留学の目的である研究です。第一次世界大戦と第二次世界大戦の間の時期を「戦間期」と呼びますが、この時期のフランス外交がテーマです。ドイツではワイマール共和国時代で、ヒトラーが登場します。そのような混乱する時代に、フランスはどう対応したのかということを論文に仕上げることが目的です。

とくに、不戦条約で有名なアリスティド・ブリアンという政治家に焦点を当てることにしました。

まず、指導教官のデュロゼル先生をソルボンヌのパリ第一大学の現代国際関係史研究所に訪ねました。週一回開かれる大学院のゼミに参加すること、あとは自由に研究を進めることの指示がありました。そして、歴史資料調査のため、外務省と国会の資料室に通うことができるように、必要書類にサインしてくれました。

先生のゼミは、大学院生は少数で、若手の研究者、退役将軍などが参加しており、それぞれが自分の研究テーマについて発表し、皆で議論をするという形式でした。外国人は、私とシカゴ大学のアメリカ人ミシェル、シュツットガルトから来たドイツ人のハンスヨルクの三人でした。私たち三人はすぐに仲良くなり、一緒に外出したり、食事をしたりして、外国人どうしで励まし合って論文を書きました。

後年、旧友を訪ねてシカゴにもシュツットガルトにも行きましたが、3人の共通語はフランス語です。私は、ミシェルと話すときは英語、ハンスヨルクと話すときはドイツ語も使いましたので、外国語の勉強という点ではパリにいながら、英語もドイツ語も会話の練習をすることができたのです。

フランス外務省は、セーヌ川沿いのオルセー岸（le quai d' Orsay）にあります。オルセーと言えば、近くのオルセー美術館で有名ですが、「ケドルセー」と言えば、外務省を指します。

外務省には外交史資料が保存してあり、資料室で読むことができます。戦間期の公電などを読んで、興味あるものを見つけると、メモをとっていきました。資料の閲覧のために、世界中から研究者が集まっており、皆で世界の歴史を書いているといった雰囲気でした。語学学習という点では、外務大臣の公式書簡なども読みましたので、手紙の書き方を学習し

フランス外務省ブリアン記念碑の前で

ました。相手によって敬語を使い分けたり、婉曲表現をしたりと、大変勉強になりました。自分が公的機関などに書簡を送るときに、大いに参考にしたものです。

フランスの国会は、今も戦間期も上院と下院の二院制で、実質的な政治権力は下院にあります。下院は、今は国民議会(l'Assembleé nationale)、当時は代議院 (la Chambre des députés) と呼ばれ、上院は、今も当時も元老院 (le Sénat) と呼称します。下院はブルボン宮殿 (Palais Bourbon) を、上院はリュクサンブール宮殿 (Palais du Luxembourg) を使っており、下院、上院という代わりに、それぞれ、パレ・ブルボン、パレ・デュ・リュクサンブールと呼びます。

主として下院の資料室で研究をしましたが、当時の議会の議事録などを読んでいきます。問題は、タイプライターではなく手書きのものが多かったことです。日本語でも草書体などで書かれた手書きの文字を解読するのはたいへんですが、フランス語でこれに挑戦せねばなりません。

フランス人でも若い人には無理で、私が途方にくれていると、親切な高齢の資料室長が読み下してくれました。政治家の手書きの書簡、メモなども同様です。おかげで、今ではフランス語の手書きの資料や手紙はほぼ自由に読みこなすことができます。外国語の勉強には終わりがありません。

議会の資料は、ブルボン宮殿やリュクサンブール宮殿が手狭なために、パリ郊外のヴェルサイユ宮殿に保管してあります。必要な資料を請求すると、週に一度、トラックでヴェルサイユ宮殿まで取りに行ってくれます。外国人研究者の歴史研究のために、ここまで便宜を図ってくれるフランスに感激したものです。歴史や文化を誇るフランスならではの素晴らしさです。

柔道で仲間の輪が広がる

外交資料と違って、国会の資料を閲覧する研究者は少なく、私一人で資料室を占領することがほとんどでした。また、資料室長の厚意で、下院の議員図書館の利用も可能になりました。ここは、日本の国会図書館のような所ですが、一般の研究者ではなく、主として議員が利用するケースが多かったように記憶しています。

ブルボン宮殿ですから、図書室の天井を見上げると、ドラクロアの絵です。また、ジャンジャック・ルソーの『民約論』の初版本も置いてあります。私の研究テーマに関する貴重な文献もたくさんあり、たいへん役に立ちました。

それに、もう一つ貴重な体験ができました。それは現役を引退した政治家たちが、回想録などを書くために資料調査などで図書館に来ており、直接話をすることができたことです。当時は、若い外国人研究者がそのような場所に来ることはまずなく、とくに日本人は皆無と言ってよかったので、私の存在は目立ったのです。

1936年6月に成立したレオン・ブルムの人民戦線内閣で、空軍大臣を務めたピエール・コット(Pierre Cot)氏や、第二次大戦中からのドゴールの側近で、第五共和制の最初の首相だったミシェル・ドブレ氏などです。まさに私が研究対象とする時代を生きた政治家であり、当時の話を聞くことができました。歴史の本でしか知らない高名な政治家と親しく会話ができたのです。

また、コット氏の息子のジャンピエール・コット (Jean Pierre Cot) 氏もドブレ氏の息子のジャンルイ・ドブレ氏も国民議会の代議士で、親の紹介で息子たちとも知り合いました。親と同じ政治勢力に属し、前者は社会党、後者は保守派です。そのおかげで、現代フランス政治についても多くのことを学ぶことができました。現代フランスの政治や社会に関する研究は、帰国してから、『赤いバラは咲いたか』(弘文堂、1983年) という本にまとめて出版しました。

フランスの国民議会、日本では衆議院に当たりますが、そこに週に何度も通うため、議員のみならず、国会職員や警備の警察官とも仲良くなりました。当時、顔パスでフランスの国会に入れる日本人は私だけだったと思います。

ところで、国会の地下にはスポーツジムもあり、柔道場まで完備していました。資料室の職員に黒帯がいて、一緒に柔道をやらないかと誘われました。私が高校生のときに柔道は授業科目の一つで、基本的なことは身につけていましたので、運動不足の解消ということもあって、喜んで参加しました。腕前は、黒帯一歩手前の茶帯といったところです。国民議会の柔道部には、男女あわせて30名くらいの部員がおり、私は日本人だということで大事にされました。

夕方、練習が終わると、皆で食事に行ったり、また自宅に招かれたりして、フランス人の日常生活に入り込んでいくことができました。フランス語の会話能力にも磨きがかかりました。そして、柔道部の仲間は国会のいろんな部署で仕事をしており、私の研究の参考になるような資料も見つけてくれました。

まさに、裸の付き合いで、すっかり仲良くなりました。今でも、柔道家仲間たちとは交流しており、私がパリに行くときには必ず再会しています。また、彼らが武道の研修に日本に来るときには一緒に食事をします。

柔道については、フランスから帰国してから、毎日講道館に通って練習し、2段の段位を得ました。ずっと続ける予定でしたが、3段の昇段試験直前に急遽スイスで研究を続けることになり、その後は、スイスのジュネーブで柔道の練習に励むことになりました。

アパルトマンに引っ越し

パリでの生活に慣れた頃、国際大学都市からパリ市内のアパルトマンに転居しました。外務省から研修に来ていた友人が帰国することになり、その部屋を引き継ぐことになったのです。学生寮だと学生食堂で食事をしますので、自炊などはあまりしませんでしたが、アパルトマンだと家賃の支払い、食料や日用品の買い物と、普通のフランス人と同じ生活をするようになります。

場所は7区のサン・ドミニク通り (rue Saint-Dominique) で、ブティックが並ぶ瀟洒な通りです。ユトリロも、エッフェル塔を背景にこの通りを描いていますが、セーヌ川の左岸でエッフェル塔と国立廃兵院に挟まれた場所です。この通りと交差する小さなクレール通り (rue Cler) には、土曜日の朝は生鮮食料品の市（marché）が立ち、近隣からの買い物客でごった返します。

ここで買い物をするのは楽しいものですが、フランス語の勉強という点では、野菜や果物、魚などの名前をフランス語で全て覚えるのに役に立ちました。魚介類もほとんど日本と同じくらいに豊富ですが、たとえば鯛が欲しいときには“daurade”、鱸（スズキ）が買いたいときには“bar”というフランス語の単語が口から出てこなければなりません。野菜も同様です。

こうして、食料品を買いながらフランス語の語彙を増やしていきました。野菜や魚の名前を、英語で言えますか、ドイツ語ではどうですかと問われれば、私はフランス語なら自信があります。それは生活体験が長いからです。留学するなど、外国で生活することは、買い物など日常生活で使う言葉を覚えることにつながります。

地図を見ると分かりますが、私の住んでいたのはセーヌ川に近い左岸ですが、自宅を出て10分も歩くと廃兵院、そして外務省、その隣が国民議会（ブルボン宮殿）という恵まれた環境でした。国会からセーヌ川沿いに、ノートルダム寺院の方向へさらに2～3kmも歩くと、パリ・ソルボンヌ大学に着きます。週に1～2回でしたが、少し遠いので、ここには地下鉄で通っていました。

ほぼ毎日通うのは外務省と国会でしたので、往復30分の散歩をしながら通勤といった感じです。夕方になると、サン・ドミニク通りで、パン、チーズ、肉、ワインなどの買い物をしながら帰ります。パンは行きつけのパン屋さんでバゲットを、チーズも馴染みのチーズ屋さんで100種類くらいの中から選びます。ワインも同様に専門店です。これらの店が帰り道にたくさんあるのも、パリの生活の楽しみでした。

食材選びで、お店の人と会話をするのも、フランス語の勉強に役立ちました。

夕食は、ビフテキにフライドポテトと野菜サラダ、デザートにチーズというのが定番でした。フランスは農産品輸出国で、おいしいワインが安い国なので、皆が食事を楽しみます。

柔道仲間と外食をするとき、一切れが二人前の大きな「骨付きあばら肉 (côte de bœuf)」を食べに、サン・ジェルマン界隈の安いレストランに行きました。若いスポーツマンでないと二人では無理なくらいに大きなステーキで、柔道で消費したカロリーを取り戻しているような感じでした。

フランス語の勉強という点では、レストランのメニューを見ながら料理を注文しますので、食前酒 (apéritif) から始まって、前菜(hors-d'œuvre)、そしてメイン料理と、一品一品、フランス語でどういうのかを覚えていきました。理解できない料理名があると、柔道仲間のフランス人が丁寧に教えてくれます。かつてあまりフランス語ができないとき、適当に料理を注文したところ、豚の血のソーセージ (boudin) が出てきてびっくりしたことがありました。それ以来、フランス語にかぎらず、どの外国語でもメニューを読んで理解できるように努力しています。海外旅行に行っても、まずは三度の食事が一番大切だからです。

とまれ、こうして多くのフランス人の友人たちに恵まれて、次第にパリジャンの生活になじんでいきました。

古本屋、コンサート、美術館

フランス人はオンとオフ、仕事と休み・私生活をはっきりと分けます。そこで、週末は皆、家族と過ごしますので、仕事仲間と一緒に出かけるようなことはありません。

もちろん、大学も外務省も国会も休みです。そこで、天気の良い週末には、パリ近郊に遠出して、マルヌやソンムなどの第一次大戦の激戦地をめぐったり、シャルトルの大聖堂などに足を伸ばしたりしました。

パリにいるときは、美術館めぐりです。当時は、土曜日は公立の美術館が無料でしたので、自宅からセーヌ川沿いに散歩しながらチュイルリー公園に行き、そこにあるオランジュリー美術館やジュ・ド・ポム美術館に入ります。前者はモネの睡蓮で有名です。後者の作品は、1986年に開設したオルセー美術館に移されました。

さらには、その先にあるルーブル美術館にも通ったものです。留学仲間には美術専攻者が多数いましたので、ときどき彼らが解説付きで案内してくれました。

パリは東京に比べて面積は広大ではありませんので、短時間で観光できます。散歩しながら美術館巡りができたのですから、幸せな日々でした。

セーヌ川沿いには、屋台の古本屋（bouquiniste）が並んでおり、これを一軒一軒眺めて、フランス史に関する古本を探したものです。屋台ですから、学術本などの専門書ではなく、絵葉書などの土産物と一緒に一冊100円といった感じで無造作に置いてあります。

セーヌのゆったりとした流れとシテ島・ノートルダム寺院などの光景が今でも目に浮かびます。残念ながら、2019年4月にノートルダム寺院で大火災が起こり、尖塔などが崩落しましたが、青春時代の思い出ですので、一日も早い再建を期待しています。

さて、屋台では年老いた店主との会話も楽しみましたが、「ブリアンに関する本はないか」と尋ねると「シャトーブリアンか」などといった答えが返ってきました。普通のフランス人には政治家（ブリアン）よりも政治家兼小説家（シャトーブリアン）のほうが有名なのかと思いました。

最も高価な本でも2000円くらいでしたが、掘り出し物も含めて100冊くらいは購入して日本に持ち帰りました。ハードカバーでないフランスの本は、本の天が一枚一枚ページごとに切断されていませんので、読むときにペーパーナイフでページを切り離しながら読まねばなりません。ペーパーナイフは必需品で、これで次のページを切り離しながら読むのが、読書の楽しみの一つになっています。

語学の勉強という観点からは、専門の歴史書は容易に読めるのですが、小説は一語一語に作家のこだわりがあり、知らない言葉に遭遇することが多く、辞書を引く回数も多くなりました。フランス文学を専攻しないでよかったと思ったものです。

日本からの留学仲間は、絵描きのみならず音楽家も多数いました。そこで、彼らの招きで高等美術学校やパリ国立音楽院も訪ねました。パリには、コンサート会場が多数あり、世界的に有名な音楽家の演奏などが毎日のように開かれていました。若い音楽家たちに連れられて、わたしもよく通ったものです。

我が家から、セーヌ川を渡ったところに、シャンゼリゼ劇場 (Théâtre des Champs-Élysées) があり、ここでは毎週土曜日の午前中に演奏会(la mtinée)が開かれ、会員になっていると、2000円くらいの入場料でコンサートを楽しめました。文化的な生活です。

こうして、「門前の小僧」のように、音楽や美術に関する造詣を深めることができましたが、同時に、芸術分野に関するフランス語の表現法なども学ぶことができました。後に、国会議員や大臣として、フランスの要人と付き合うときに、このときの経験と知識が大いに役立つことになりました。

イギリスでの思い出

フランス滞在中に、周辺の国によく出かけました。ベルギー、ルクセンブルク、ドイツ、オーストリアなどですが、ドーバー海峡を越えてイギリスにも何度か足を伸ばしました。

グルノーブル時代の仲間であるモニカが住んでいるイングランド南西部のデヴォン州にあるエクセター (Exeter) にも行きました。名門のエクセター大学のある人口12万人の都市ですが、ボーイフレンドのリチャードとともに大歓迎してくれました。近くにあるメイフラワー号で有名な港町、プリマスにも行きましたが、多くの友人が集まってくれて、夕方にはパブで、そしてその後夕食をしながら、若者の交流です。

自分の英語力を試す機会でしたが、喋るのは何とかなっても、聞き取りが難しくて閉口しました。デヴォン州の訛りが激しかったこともありますが、英語は難しい言語だと痛感したものです。ロンドンに戻ると、もう少し会話もうまくできるような気がしてロンドンの人たちに、エクセターで英語がよく分からなかったと言うと、自分たちでも理解できないことがあるので仕方ないよと慰めてくれました。

もう一つ忘れられないのが、イングランド北東部のノーフォーク(Norfolk)州のノリッジ(Norwich)に行ったときのことです。ノリッジからさらに北の海外沿いの町シェリンガム(Sheringham) に友人が住んでおり、そこに招かれたのです。人口7500人くらいの小さな町です。近隣の人たちも私を歓迎すべくランチタイムに集まってくれていたのです。

ところが、1970年代初めで、イギリスが「斜陽の帝国」と呼ばれ、労働組合のストが頻発しました。ロンドンから特急列車に乗り、ノリッジで乗り換えてシェリンガムに行く予定でしたが、ストで大幅に到着が遅れ、接続列車はすでに出発してしまっていました。日本だと、特急列車の到着を待ってから接続列車が出るはずですが、そんな気遣いはありません。

幸い、もう一人、イギリス人女性の乗客が私と同じ行程で、彼女が駅長に抗議して、シェリンガムまでタクシーを手配してくれることになりました。ところが、この運転手が焦って裏道に入ってしまい、ぬかるみで車が動かなくなってしまいました。一難去って、また一難です。そこの地主のおばさんが大きな怒鳴り声で、「My husbandのbackyardで何としたことをするのか」と言いながら飛び出してきました。結局、皆でタクシーを押して脱出しましたが、シェリンガム駅に着いたのは夕方でした。

友人は、ノリッジ駅に電話して、特急列車遅延のためタクシーで向かっているという情報を得ており、無事に彼らの家に着いたのです。ランチに参集していた人たちは、残念ながら解散してしまっていました。労働組合の過激化、階級対立で社会が分断されているイギリスの実態を見た貴重な体験でした。1979年にサッチャーさんが首相に就任して、イギリスの立て直しに成功しましたが、私が訪ねた頃のイギリスは最悪の状態で、「鉄の女」による改革が必要だったようです。

語学勉強という点では、ロンドン、ノーフォークと自分の英語で目的を達することができて、デヴォン州の失敗は繰り返さずに済みました。私を招待してくれたのは、デンマーク人の女性外交官でイギリス人のご主人の実家で歓迎してくれたのです。彼女が日本に赴任したときからの美術を通じての友人でした。

東京には、世界中から多様な人が集まりますので、国際交流に心がければ、海外に行かなくても外国語の勉強は十分にできます。心を大きく開いて、海外から来日している人々と交流するとよいと思います。

私は、シェイクスピアが大好きで、高校時代も大学に進学してからも、英語や邦訳でよく読んでいました。そこで、イギリスでは、まずシェイクスピアの生誕地、ストラトフォード・アポン・エイヴォン(Stratford-upon-Avon)を訪ねました。そして、ロンドンではシェイクスピア全集を購入しました。

シェイクスピアの戯曲は、『ハムレット』でも『マクベス』

でも、とにかく気に入った台詞を暗記していきました。たとえば、“Frailty, thy name is woman（弱気もの、汝の名は女なり）”や“To be or not to be, that is the question(生きるべきか、死すべきか、それが問題だ)”などです。これを100回くらい繰り返して唱え、また書き、完全に覚えていったのです。この暗記の重要性は、外国語学習のときに忘れてはならないポイントです。シェイクスピアのおかげで、気に入った文章を暗記することの楽しさを覚えました。フランス語やドイツ語でも、パスカルとかマルクスの言葉を原語で暗記していきました。後年、外国の要人と議論するときに、暗記の引き出しから、ときどき文章を引き出して活用しましたが、その芸当のおかげで楽しく、エスプリ溢れる会話ができたと思います。

因みに、シェイクスピアの作品は、最高の人間観察の書ですので、政治学のテキストとしても活用できます。若者が、カルト集団に誘惑されないための最高の解毒剤だと思います。

多言語国家スイス

パリでの2年間の生活を終え、いったん帰国した後、1976年から2年間、お隣のスイスで研究を続けることになりました。

第一次大戦後、ジュネーブに国際連盟本部(Palais des Nations)が置かれましたが、そこは、今は国際連合ヨーロッパ本部となっており、その資料室には当時の資料が保存されています。その資料を閲覧するためのスイス居住でしたが、スイス人研究者とも交流するために、ジュネーブ高等国際政治研究所 (L'Institut d'Hautes Etudes Internationales de Genève) に籍を置くことにしました。その所長で、国際政治史が専門のジャック・フレイモン(Jacques Freymond)教授は、パリ大学のデュロゼル先生の友人であり、その縁でこの研究所に入ったのです。この研究所では、フランス語と英語が使用言語です。

滞在費はスイス政府が負担してくれ、住居もパリと同様な国際学生寮に一室を確保してもらいました。研究費などの補助もあって、スイスでも多くの書籍や資料を購入して日本に持ち帰ることができました。

スイス滞在中に、グルノーブル大学時代の学友のフランス女性と結婚し、グルノーブルに住むことにしました。月曜日の朝にグルノーブルを出て、列車でジュネーブに行き、金曜日の夕方にはまたグルノーブルに戻るという生活でした。片道2時間の列車の旅です。そのうちに車を入手し、自分で運転してグルノーブルに通いましたが、当時は高速道路がありませんでしたので、片道3時間くらいのドライブでした。

研究所は、レマン湖畔にあり、5分も歩くと国連本部に到着します。快適な環境での研究生活でしたが、外国語の学習という観点からは、多言語国家であるスイスは最適でした。スイスの国語は、ドイツ語、フランス語、イタリア語、ロマンス語の4つですが、最初の3つが公用語です。ですから、いつも独仏伊の3か国語の勉強をすることになります。

スイスという国は、1291年にウリ、シュヴィーツ、ウンターヴァルデンという3つの地方がハプスブルク家に対抗するために結んだ同盟を基礎として成立したのです。その後、各地方がこれに参加し、1815年にジュネーブ、ヴァレ、ヌシャテルの3地方が正式に加盟することによって、現在のスイス連邦が形成されました。

スイスは23の州から成る連邦国家です。州のことをカントン(canton)と呼びますが、3州は半州に分かれていますので、26州ということもあります。各州が憲法を持ち、その自治権は強く、むしろ23(26)の独立国の連合体といったほうがふさわしいくらいです。人種的には、ケルト、ブルゴンド、アラマン、言語的には、ドイツ語(人口の65%)、フランス語(18%),イタリア語(12%)、ロマンス語(1%)、宗教的にはプロテスタント(55%)、カトリック(43%)と、多様で異質な要素の組み合わせです。

日本のような同質的な国とは対極的で、人種や言語や宗教が異なる人間集団が契約によって国家を形成しているのです。スイスと言えば、永世中立政策が有名ですが、実は、これは外交政策というよりも、国がバラバラにならないための内政政策なのです。

たとえば、スイスがドイツと同盟すればフランス系やイタリア系の住民が反発します。もし、ドイツとフランスが戦争をし、スイスがそれに加われば、ドイツ系スイス人はドイツと一緒に、フランス系スイス人はフランスと一緒に戦いたくなります。そこで、近隣の大国であるドイツ、フランス、イタリアのどの国とも同盟を結べなかったのです。それが、戦争ができない国になった本当の理由なのです。

言語が異なる地方が連合して一国家を作るというのは、たいへんな話なのですが、多言語のおかげで戦争のできない国になったのです。

スイスでは、公の書類をはじめ、あらゆるものが3か国語で表示してあります。喫茶店で砂糖を探すと、包装紙に3か国語で砂糖（仏語はsucre、ドイツ語はZucker、イタリア語はzúcchero）と書かれていますので、コーヒーを飲む度に3か国語で砂糖という単語を覚えることになります。

ところが、普通のスイス人は自分の言語以外はほとんどできません。私は、何とかフランス語とドイツ語で用を足せましたので、フランス系スイス人とドイツ系スイス人の間で何度も通訳をする羽目になりました。

日本でもそうですが、スイスでもバスの運行システムは都市によって違います。ジュネーブではバス停にあるチケット販売機で切符を買いますが、その切符は1時間有効で、何度、どの路線に乗ってもよいのです。もし、有効時間が過ぎてしまっているのを監視員に見つかると、切符代の何十倍もの罰金をとられてしまいます。このシステムは慣れると便利がよいのですが、よそ者には分かりにくいのです。

ある日、チューリッヒから来たドイツ系スイス人のご婦人が、私の乗っていたバスに乗ろうとして、運転手に向かって、「料金を支払いたいのですが」と言っても、ドイツ語を解さない運転手は答えてくれません。そこで、私が降りて、チケット販売機の使い方をドイツ語で説明したのです。

スイスでは、スキーによく出かけ、ゲレンデでスキースクールに入り練習しましたが、ここでもドイツ系とフランス系のスイス人スキー客の通訳を任せられました。日本で例えると、東北弁と鹿児島弁の間のコミュミケーションを外国人が通訳して確保するような具合です。どうして、スイス人は自分の国の言葉を学ばないのだろうかと不思議に思ったものです。

ただ、さすがに大学では、たとえばドイツ語圏とフランス語圏の境に立地するフリブール(Fribourg)大学では、ドイツ語とフランス語が使用言語で、授業も両方の言語を分かっていないと理解できません。

州が違えば、パトカーのデザインも警察官の制服も違いますので、連邦国家とはいえ、23（26）の国家が集まっているだけのような感じがしたものです。住民自治が徹底しており、それぞれの町で重要な決定は住民投票によって行われます。しかし、毎週のように住民投票があると、直接民主主義は時間がとられることを痛感しました。

イタリア語の学習

スイスに滞在したときに、イタリア語も学習しました。イタリア系のスイス人もいますし、イタリア語を話す州に行くと会話の練習になりました。また、夏休みにはフランスのニースに滞在しましたが、国境を越えれば、すぐ先はイタリアで、妻の親類にイタリア人がおり、親切にイタリア語を教えてくれました。

問題は、スイス系イタリア人や親戚のイタリア人はフランス語がうまく、どうしても会話の途中からフランス語に切り替わることです。これは、同じラテン系のスペイン語の学習と同じで、イタリア語については、とても自信が持てる状況まで上達したわけではありません。

しかし、イタリア絵画やファシズムの本などを読んだり、イタリアを旅したりするときには、初歩的な知識でも役に立ちます。語学の勉強は、新しい文化への扉を開くことになります。

イタリアでは、よくパスタを含め、美味しい料理を食べましたが、食後のエスプレッソ・コーヒーがいつも楽しみでした。狩りの季節の後は、鹿などの獲物を料理する店に行って、イタリア人仲間と一緒に料理とワインと会話を楽しんだものです。ユネスコの仕事でローマに行ったとき、イタリア人仲間が連れて行ってくれた「野生動物を食べるレストラン」で出された料理には驚いたことを、今でもよく覚えています。

ローマでは、美術館や画廊を巡ってピラネージ（Piranesi、1720–1778年）の版画を見るのが楽しみでした。古代ローマの廃墟や「牢獄」シリーズは圧巻で、画廊のオーナーとよくピラネージ論を戦わせました。そして、最後には、「パリに比べると半額だから、一枚買っていけ」と勧めるのです。若い研究者が大金を持っているはずはありませんが、何とか安くしてもらった小品を購入して、イタリア滞在の記念品として持ち帰りました。

フランス・イタリア間は、車で往復することが多かったのですが、ドライブの思い出もたくさんあります。まずは高速道路のサービスエリアにあるレストランの食事が美味しいことです。日本では、ラーメンや蕎麦程度しか食べた記憶になかったのですが、当時のイタリアでは豪華なフルコースも提供されており、またエスプレッソの味も格別でした。

イタリアの地図を長靴に例えると、かかとの部分にブリンディジという港町がありますが、ここからギリシャに渡るフェリーに乗るために、北のトリノからイタリア半島を縦断したことがあります。一泊はパーキングにテントを張って野宿という冒険でした。語学学習という点では、イタリアの町を移動するときにイタリア人に最適のルートを教えてもらったり、辞書を頼りに奮闘したりしたものです。

また、石油ショックの後で、ガソリンが高騰していたときですので、車で観光する人が減っていました。イタリア政府は、フランスやドイツなど近隣の外国人観光客専用のガソリン券を発行していました。これだと、正価の3割引くらいの価格でガソリンが購入できますが、出発前に自分の国で購入しておかねばなりません。

私もこのクーポンを利用しましたが、全部使い切れずにフランスに帰国することになりました。仏伊国境の税関で検問のとき、警備の警察官にクーポンが余ったと持ちかけると、「僕が買うよ」と私の車を車列から外れて止めさせ、取引成立です。私はクーポンを無駄にしないで済みましたし、警察官は3割引の券を入手できたのです。その交渉の間は、後続の車はノーチェックで国境を越えて行きます。「変な日本人が厳しく調べられている、しめしめ今のうちだ」といった具合に、皆喜んで走り去って行きました。イタリア語の学習も変なところで役立ったものです。

日本の警察では、こういうことは考えられませんが、何ともラテン系の大らかなところで、憎めない話です。イタリア人の名誉のために言うと、デザインやファッションなど、ミラノを見ても分かりますが、フランスよりも優れたところがあります。また、イタリアの高級官僚の仕事ぶりは、日本の官僚以上の厳しさがあります。それでイタリアという国が保たれているのです。

ドイツの研究所での苦労話

スイスから帰国して、東大助教授に就任しましたが、1980年にドイツや東欧・ソ連圏の研究を行う機会が与えられました。アメリカ議会の招きで、ミュンヘンにあるラジオ・フリーヨーロッパ（Radio Free Europe)、ラジオ・リバティ（Radio Liberty、RL）という東欧・ソ連向けのラジオ局（RFE/RL）の調査部門に配属されました。

ドイツには、パリ大学の学友のハンスヨルクをはじめ、友人がたくさんいましたので、フランスやスイスに滞在中に何度も足を伸ばしました。1977年には、ボッフムにあるルール大学、そしてマールブルク大学に招かれ、研究成果を学生に講義する機会にも恵まれました。ヒトラーの戦争で廃墟と化したドイツが見事に復興したことに感動したものです。そして、このような交流を通じて、ドイツ語の習得にも拍車がかかりました。

ミュンヘンでは、朝食つきの下宿屋（Gaststübe）に部屋を手配してもらいました。市の中心部にあるイギリス庭園という広大な公園のそばにある快適な小ホテルでした。研究所までは、徒歩5分の距離です。夕方になると宿の自転車を借りて、この公園に散歩に行きました。また、週末には園内のビヤホールで喉を潤したものです。

宿の主人は日本贔屓で、とくに日本とドイツが同盟国として第二次大戦を一緒に戦ったことを評価しており、よく私をお茶によんでくれました。私がヨーロッパの歴史を研究していることを知ると、昔の写真アルバムを見せながら、「ヒトラー時代が最高だった」と回想するのです。

ユダヤ人を虐殺したナチスなのに、なぜ親父さんはそういうのか、その謎を解くことも私の課題となりました。それから40年経って、私の長年の研究成果を『ヒトラーの正体』(小学館、2019年)という本にまとめ、肩の荷を降ろしたところです。

研究所は、語学の達人の集合体で、10か国語くらいできるヨーロッパの研究者が集まって、ソ連・東欧圏を中心に動向調査を行っていました。私はソ連の担当でしたので、ソ連に関するニュースを分析します。アメリカの機関ですから、「仕事の言葉」(working language) は英語です。私の上司はイギリス人でした。給料は、週給70マルクでしたが、宿代は研究所負担なので、何とか生活することはできました。

資料はロシア語で、会議などは英語です。生活はドイツ語でという生活です。フランスにいる妻とは、電話などを使ってフランス語で連絡しあいます。研究所にいる日本人は私一人で、ミュンヘンでは仕事に忙しく、日本人とは知り合いになりませんでした。そこで、日本語を一言も喋らない生活でした。英語、ドイツ語、ロシア語、フランス語を使って生きていきました。

若かったからできたことで、もう一度同じ生活をしろと言われれば、断ると思います。しかし、4か国語くらいで音を上げていたら、この研究所では務まりません。東欧出身の研究者など、スラブ系の言語を複数操りましたが、あるルーマニア人の同僚は、父親がロシア系、母親がイタリア系で、スラブ系に加えてフランス語、イタリア語、スペイン語などができて20か国語を使っていました。

考えてみれば、同じヨーロッパの言語ですから幾つもできるのはさほど驚くことではなく、私もヨーロッパ人なら挑戦していたと思います。しかし、日本語という文字も文法も全く異なる言語体系を身につけた者が、欧州言語を学ぶのは5つくらいが限度のような気がします。

スイスでもミュンヘンでも、「複数の外国語を同時に勉強せよ」と命令されているような環境に投げ込まれてしまったのです。それが、今考えると、「地獄の語学訓練」だったようです。

国際政治という観点からは、米ソ冷戦の真っ只中で、RFE/RLはソ連・東欧圏について世界で最も詳しい情報を収集していました。また、ソ連・東欧圏に向かってラジオ放送を行い、世界について正しい情報を東側の人々に届けました。それは、CIAによる戦略の一部ともなっていました。

そのため、ソ連のKGBなどの攻撃対象になっており、機密情報の保持、高度のセキュリティと緊張を強いられる職場でした。ソ連はジャミングによってラジオ放送を妨害しましたが、こちらはポルトガルから電波を飛ばすことで対抗しました。

私たちスタッフも東側の情報機関による暗殺対象となっていましたので、東側への渡航は厳禁でした。実際に、私が帰国した直後の1981年には、私のいたミュンヘン本部がルーマニアの諜報機関による爆破テロにあい、大きな被害が出ました。そのこともあって、この職場での研究履歴については、1989年にベルリンの壁が崩壊するまでは公にしませんでした。米ソ冷戦が終わった後、1995年に、RFE/RLの本部はチェコのプラハに移されました。

国際政治における情報・諜報（intelligence）の重要性を直に学んだ貴重な体験でしたが、朝起きるとドイツ語で朝食、職場に着くと英語でミーティング、ロシア語で作業、町に出るとドイツ語で買い物といった生活もまた、楽しく、苦しい語学研修でした。

職場のスタッフにはソ連・東欧から亡命した学者たちがたくさんいましたが、私は、同宿の若いアメリカ人スタッフたちと週末には、ドイツ国内やオーストリアに遊びに行きました。また、自分の研究テーマである戦間期のヨーロッパについて、たとえば、ミュンヘン近郊にあるナチス時代のダッハウ強制収容所を視察に行ったり、古本屋で資料を漁ったりしました。なぜ、ミュンヘンからヒトラーという政治家が生まれたのか、実際に住んでみて、その保守的な風土を体験すると、よく分かるような気がしました。

日欧と違うアメリカ

私の履歴欄には1年半以上の長期留学（フランス、スイス）のみを記し、その体験はいろんな機会に語ってきました。しかし、すでに書いたように、ドイツをはじめ、短期間ではあっても、その他の国にも行く機会がありました。とくにアメリカは私の思索に多くの影響を与えています。人生の大きな決断は、ほとんどアメリカ滞在中に行っているのです。

日本とヨーロッパという伝統社会からアメリカに渡った私は、トクヴィルが『アメリカのデモクラシー』を書いたときのような気分で、大きなカルチャーショックを受けたものです。

ヨーロッパから帰国して、アメリカには政治学者として、また安全保障の専門家として、学会、シンポジウム、講義などに招かれる機会が何度もありました。大学では、スタンフォード大学、カリフォルニア大学、コーネル大学、ハーバード大学、国立戦争大学など多数のキャンパスに行きました。スタンフォードとUCバークレーの大学出版会からは、論文も英語で出版することができました。

安全保障では、三軍の士官学校、ウエストポイント（陸軍）、アナポリス（海軍）、コロラドスプリング（空軍）に行って校長や教授たちと意見交換をしたり、軍事基地に行き、演習を視察したりしました。また、ワシントンDCやニューヨークでは、民主党系、共和党系を問わず、多くのシンクタンクに招かれ、講演をしたり、セミナーに参加したりしました。

このように、政治学や安全保障では、仕事の言語（working language）は英語であることが多く、発想も議論も英語が主となり、今もそうです。セミナーなどでは、世界中から一流の学者が集まってきますので、英語がまさに国際公用語となった感じです。

経済学の分野では、自由主義経済を信奉する経済学者の国際的集まりであるモンペルラン・ソサエティー（Mont Pelerin Society）に属していましたが、ノーベル賞受賞者のフリードリッヒ・ハイエク先生やミルトン・フリードマン先生と親しく言葉を交わしたことが良い思い出となっています。

学者仲間と一緒に英語で仕事をするときには、基本的な学識は共通していますし、専門用語にも熟知していますので、意思疎通にも困難はありませんでした。しかし、町に出て、普通の人たちと話すときには、スラング混じりだったりして、よく聞き取れないこともありました。そんなときには、すぐにアメリカ人の友人に意味を解説してもらいました。普通の辞書には載っていない俗語なども教えてくれるネイティブの友人を作ることを勧めます。

以下では、今でも記憶に残っている楽しい思い出を記してみます。

アメリカの大学に招かれる

東大助教授のときに、インディアナ州のフランクリン・カレッジ（Franklin College）に招かれて政治学の授業をしたことがありますが、今もそのときのことを鮮明に記憶しています。授業では、アメリカ型の大統領制と日本やイギリスのような議院内閣制の違いを講義しましたが、学生諸君がどこまで理解できたか不明でした。問題は、私の英語がイギリス訛りで分かりにくかったのか、学生の政治学の基礎知識が不足していたのかが分からず困りました。アメリカ英語でまくしたてる学生諸君と議論して、語学学習という観点からは、喋るよりは聞き取るほうが難しいということを痛感しました。

バプテスト教会に属するキャンパスの瀟洒なゲストハウスに泊まりましたが、「神が日本から友人を派遣してくれた」と大歓迎で、同僚教授たちと、お祈りの後、質素な、しかし楽しい夕餉の時間を持ったものです。もちろん、アルコール飲料は厳禁です。

夕食後、寝室に移動したときに、私は、世話係の学生に「お部屋の鍵はありますか」と尋ねてしまったのです。「神が守って下さっているこの町に、他人のものを盗んだり、危害を加えたりする人はいません。鍵など必要ないのです」と微笑みの答えが返ってきました。穴があったら入りたいくらいに、恥ずかしい思いで一杯でした。フランクリンは、そのような古き良きアメリカのたたずまいを残す瀟洒な町でした。

政治学の授業の後は、講堂に全学生が移動して、学生たちが聖書に記されたシーンを寸劇で再現します。キリスト教の理念が、生活にも教育にも生きているのです。聖書劇を見るのも、楽しみながら英語の勉強になりました。

その当時は、キャラバンのように幾つかの大学を移動しながら授業をしていましたが、学生が自分の車で私を次のキャンパスに送ってくれます。私の大きなスーツケースを積んで駐車場に置いてある車ももちろん施錠をしません。ニューヨーク、ワシントンDC、シカゴ、サンフランシスコのような大都市とは違うアメリカがそこにはありました。

インディアナ州ではバプテスト教会の信者たちと一緒の機会が多かったのですが、アーミッシュの人々も私を囲む会に出てきてくれました。アーミッシュの生活ぶりについては、ハリソン・フォード主演の「刑事ジョン・ブック　目撃者(Witness)」(1985年公開)に描かれています。

信仰の自由こそアメリカの真骨頂で、信仰が生活の基盤をなしています。ピューリタンのピルグリム・ファーザーズ(Pilgrim Fathers) から始まる建国の歴史を持つアメリカでは、プロテスタントが主流です。

キリスト教の信仰が根付いているアメリカに、私が自然に溶け込むことができたのは、子どもの頃の愛読書に開拓時代に関するものが多かったからです。マーク・トウェイン(Mark Twain) の『トム・ソーヤーの冒険(The Adventures of Tom Sawyer)』(1876年)や『ハックルベリー・フィンの冒険(The Adventures of Hucklebery Finn)』(1885年)、ローラ・インガルス・ワイルダー(Laura Ingalls Wilder)の『大草原の小さな家(Little House on the Prairie)』(1935年)、アーネスト・トンプソン・シートン(Ernest Thompson Seton)の『シートン動物記(Wild Animals I Have Known)』(1898年～)などがそうです。これらは、アメリカ大陸を東部から西部へと開拓していく人々の愛と苦労の物語です。自然と格闘する逞しい開拓者たちの姿と神への篤い信仰に心を打たれます。

これらの本のオリジナル英語版はペーパーバックにもなっていますし、また英語教材用に日本でもテキスト化されていますので、英語で読んでみてください。日本語訳を見ながらでも構いません。英語の学習に役立つと思います。

英語という外国語を通じてアメリカという国を理解しようとするときに、単に語学の勉強だけではなく、その国の歴史や伝統や宗教をよく理解する必要があります。アメリカの大学での経験を通じて、「キリスト教のアメリカ」について書きましたが、そのような知識が真のアメリカの理解につながると思います。外国語の勉強は、異なる文化への扉を開けてくれると述べたのは、そのような意味なのです。

ホワイトハウスに入る

アメリカ政府から招かれて、安全保障研究のために渡米したときの忘れられないエピソードを紹介しましょう。

32歳の私は、ヨーロッパ諸国での留学を終えて日本に帰国し、アメリカ関連の研究に力を注いでいました。私の専門は外交防衛問題ですが、40年前の日本では安全保障、つまり軍事については研究すること自体がタブーとされるような雰囲気でした。そこで、まずフランスを中心にヨーロッパで勉強しましたが、次にアメリカに行って世界一の軍事大国の実態を見てこようと考えたのです。

幸いなことに、若い外国人研究者を支援するアメリカ政府のプログラムがあり、私もその対象となりました。渡米し、ハワイ、西海岸、東海岸と軍地基地や士官学校などを視察しながら見聞を広めていきました。

首都ワシントンDCでは、学者との議論とともに、政府高官との会談もセットされました。日本から来た若い一学徒に対するアメリカのこの寛大さは、実に素晴らしいと思いました。

アメリカの首都、ワシントンDCに到着し、ランチの後、ホワイトハウスの行政府旧館(Old Executive Office Building)に入りました。事前登録してありましたので、簡単なセキュリティ・チェックのみで、係が補佐官室に案内してくれます。

大統領補佐官とは日米安保条約、アジアの政治状況などについて余人を交えずに議論を始めましたが、30分くらい経ったところところで、ホワイトハウスの周辺でけたたましくサイレンを鳴らしながら何台ものパトカーが行き来し始めました。しかし、われわれは、あまり気にすることもなく議論を続けました。ところが、突然補佐官の机上の赤い（実際はワインカラーのような色）ホットライン電話が炸裂したのです。

ホワイトハウスの中で仕事をするのも初めてでしたが、政府高官のホットライン電話が鳴るのも見るのも、もちろん初です。補佐官の顔色が変わり、受話器をとります。

「ブレイディ大統領報道官が撃たれた」と、補佐官は電話の内容を私に伝えました。困惑しましたが、次の情報を待ちながら、われわれはアジア情勢について会談を続けることにしました。そして、5分も経った頃でしょうか、またホットライン電話が鳴りました。

受話器をとりあげた補佐官が絶叫します、「大統領が狙撃された！」。ロナルド・レーガン大統領も撃たれていたのです。

補佐官の顔に緊張が走ります。危機管理を行う鋭い鷹の目です。「会議は中断だ。すぐに対応をとる」と、彼は私を残して大急ぎで部屋から出て行きました。

大統領暗殺未遂事件

1981年3月30日、午後2時半頃、講演を終えてヒルトンホテルから出たレーガン大統領は、一人の男に狙撃されました。銃弾は左胸に当たりましたが、6発の弾丸は、ジェイムズ・ブレイディ大統領報道官、シークレットサービス、警察官にも命中したのです。男は、その場で警官らに取り押さえられました。

当初、大統領は元気にしていたため、シークレットサービスも弾は当たっていなかったと判断し、大統領を乗せた大統領専用車はホワイトハウスへ向かったのです。ところが、車が動きだしてからレーガンが胸の痛みと出血に気づき、急遽病院へ急行したというのです。この間、約5分間。ホットライン電話の1回目が鳴ってから、2回目が鳴るまでの時間です。

私の宿泊先はアメリカ政府が手配してくれましたが、高級ホテルではなく、一般の連邦政府職員が泊まる質素なホテルでした。私は連邦公務員と同じ扱いを受けましたが、快適で、しかもホワイトハウスに近く便利でした。

ホテルに戻ると、ものものしい雰囲気です。数名の屈強な男たちがフロントに詰め寄ります。「われわれはFBIだ。大統領狙撃事件でここを捜査する」。

いったい何があったのか。ホテルの従業員に尋ねてみました。「狙撃犯がこのホテルから出動したんだとさ」。レーガンを撃った犯人が、このホテルに泊まっていたというのです。ごく普通のホテルなので宿泊費も高くないし、入り口でのセキュリティ対策もないし、しかもホワイトハウスにも近い。大統領を狙うには、最適の拠点なのです。

狙撃犯はジョン・ヒンクリー・ジュニア（John Warnock Hinckley, Jr.）という25歳の男でした。

狙撃犯との因縁

何の縁なのか、実は暗殺未遂事件に絡んだことが、その前後に私に起こっていくのです。

事件の前日、私が目指したのはデュポン・サークル（Dupont Circle）という場所でした。デュポン・サークルはワシントンDCの中心部にあって、瀟洒なたたずまいの落ち着いた場所です。近くには外国大使館が集まった通りもありますが、この界隈に私のお気に入りの本屋があって、ワシントンに滞在するときは、暇ができると足を運ぶようにしていました。

この日も、アメリカ政治の本を何冊か購入した後、ヒルトンホテル周辺まで散歩をしたのです。

事件の状況がテレビで伝えられたとき、昨日立ち止まった場所であることに絶句しました。あたかも、現場を下見しに行ったようなもので、狙撃犯のヒンクリーJr.もまた、私と同じルートでホテルからここに行って下見をしたに違いありません。下見時間が同じ頃なら、ひょっとしたら目を合わせていたかもしれないなどと頭に描いてみたものです。

ところで、レーガンは弾丸摘出手術のときに、医師たちに対して、「君らは民主党員ではないだろうね、共和党員ならいいんだがね」と冗談を飛ばすゆとりを見せました。この話が伝わると、彼のことを俳優上がりだと馬鹿にしていた人たちも、その政治家としての才能に舌を巻いたものです。彼のことを“great communicator”と言います。こうして、レーガン支持率は急上昇していきました。

数日の滞在を終えて、衝撃の事件で騒然としているワシントンDCを去る日が来ました。因縁のホテルをチェックアウトして西へと向かう私には、しかし、まだヒンクリーJr.の影がつきまとうことになります。

次なる目的地はネブラスカ(Nebrasaka)州のオマハ(Omaha)近郊のオファット空軍基地です。ここには戦略空軍(SAC：Strategic Air Command)司令部があります。この司令部は、戦略爆撃機と大陸間弾道ミサイル(ICBM)を指揮しています。ワシントンDCからオマハに飛んで司令部に到着しましたが、そこではICBMの運用方針など細かいブリーフィングが続きました。

基地に置いてあるICBMのミニットマン(ミサイル)の模型を仰ぎ見ながら基地をあとにしました。次に私を待っているのは空軍士官学校(US Air Force Academy)です。コロラド州のコロラドスプリングス(Colorado Springs)にあります。この町にはピーターソン空軍基地(Peterson Air Force Base)があり、シャイアンマウンテン(Cheyenne Mountain)には

NORAD（North American Aerospace Defense command、北米航空宇宙防衛司令部）もあります。

まずは州都のデンバー(Denver)を目指します。デンバーは標高1マイル(約1600メートル)の高地にあるので、マイル・ハイ・シティ(Mile High City)と呼ばれます。多くの観光スポットがありますが、ここには造幣局(US Mint)があり、貨幣も造っています。ついでにミニ知識として言いますと、アメリカの硬貨をよく見ると、「D」と刻印したものがあります。それはデンバー造幣局で鋳造されたものですが、私はデンバーが好きなので、D・コインを手にすると嬉しくなります。

コロラドはネブラスカの隣の州なので、グレイハウンドのバスの旅にしました。バスはデンバーの方向を目指して走り続けますが、その途中でエヴァーグリーン(Evergreen)という名前の美しい町に入りました。実は、ヒンクリーJr.は、この町で幼少の頃、そして少年期を過ごしており、その家には彼の両親が住んでいました。まさに、レーガン狙撃犯の足跡を辿るような旅となってしまったのです。

デンバーからは飛行機でコロラドスプリングスに移動しました。シャイアンマウンテンの上では乱気流で苦労しましたが、無事に到着しました。迎えてくれた米空軍の仲間にワシントンDC以来のレーガン狙撃犯との因縁を話すと、「お前が黒幕なんじゃないか」と冗談を言って大笑いしたものです。

以上のようなアメリカでの安全保障の旅で、様々な状況でアメリカの人々と英語でコミュニケーションをとることによって、数多くの英語表現を学びました。また多くの専門用語や学術用語も身につきました。「かわいい子には旅をさせよ」

と言いますが、実際に海外に出て多くの経験をすることは、語学上達にもつながりますし、異文化に接することによって日本文化を見直すこともできます。そして、何よりも人生が豊かになります。

フランス語でアフリカへ

フランス語は、フランスやスイスやベルギーで話されているだけではなく、ニューカレドニアなどのフランスの海外領土圏、また旧植民地、とくにアフリカで使われています。公用語だったり、大学の授業で使われたりと活用されています。

そこで、フランス語で仕事ができるということで、東大助教授のときにアフリカ諸国からよく招かれました。また、日本の外務省の仕事のお手伝いをしたり、フランス政府の文化使節になったりして、いろんな経験をしました。

セネガル、象牙海岸、チュニジアなどの大学で授業をしたり、市民を集めて講演したりしましたが、テーマは、たとえば日本の近代史です。なぜ、有色人種の日本が白人の欧米諸国の植民地にならずに独立を保つことができたのか、いろんな観点から説明するのです。自分たちが植民地支配を経験しているので、アフリカの人々は私の話を、目を輝かせて聞きます。授業や講演の後には、質疑応答の機会を設けましたが、数多くの質問が寄せられました。

仕事が終わると、教授や学生たちと町に出て、その国の伝統や文化に触れます。私は、アフリカの原始的な彫刻が大好きですので、手作りの仮面をお土産に日本に持って帰りました。フランス語が自由に使えたおかげで、アフリカ大陸という扉を開くことができたのです。外国語を習得することの醍醐味です。

当時のアフリカでは、日本のように民主主義が完全に行われている国は多くありませんでした。それだけに、自由な言論が許されない国もありましたが、日本の歴史を講義する分には問題はありませんでした。

たとえばチュニジアです。イスラムの国ですが、女性の社会進出がめざましく、ベールで顔を隠すこともなく、裁判官になった女性が堂々と町を闊歩しているのに遭い、感動したものです。しかし、情報管理は厳しく、テレビ局に招かれたときには、セキュリティ・チェック、そして事前の原稿チェックといろんな関門が待っていました。

私は夕方のニュースに登場し、日本とチュニジアの協力関係について述べました。テレビは国営の1局のみでしたので、翌日、私が町を散歩すると、皆が、「昨日テレビであなたを見たよ」と声をかけてくれました。

チュニジアは、かつてのカルタゴです。町を歩くと、その歴史の重みを感じました。料理もクスクスなどの名物があります。フランスとは地中海を挟んで南にあるチュニジアですが、ブラック・アフリカとは違って、むしろフランスにいるような感じがしたものです。

長い間専制政治が続いたチュニジアでは、2010年末から「ジャスミン革命」と呼ばれる民主化運動が起き、中東・北アフリカの「アラブの春」と称される民主化運動の先駆けとなりました。

チュニジアとともにアルジェリアにも、同じような目的で渡航する予定を立ててありましたが、政情不安で入国ができず、今でもまだ足を踏み入れていないのは残念です。

モロッコの皇太子にご進講

アフリカで活用したフランス語について忘れられない思い出は、モロッコの皇太子（現国王ムハンマド6世）に国際政治や日本の歴史について授業をしたことです。

皇太子は、1987年3月に日本を訪問することになっていましたが、国王のハッサン2世は、その前に皇太子に日本のこと、そして日本をめぐるアジア情勢について勉強させる必要があると考えたのです。モロッコではアラビア語が国語ですが、皇太子はフランス語、スペイン語、英語ができます。

そこで、皇太子を教える先生役として私に白羽の矢が立てられたのです。日本の外務省を通じてこの話を頂いたときには、たいへん光栄に感じたものです。早速、東京からパリを経由してモロッコの首都、ラバトに飛びました。

王宮に招かれ、皇太子の授業が始まります。しかし、一対一の授業ではなく、少人数のセミナー形式です。日本で言えば学習院のような学校があるのです。皇太子と同い年の男の子の中から、知能の優れた者をモロッコ各地から集め、皇太子と一緒に「ご学友」として大学まで教育を受けさせるのです。

ご進講と言っても、大学の授業やセミナーと同じですから、私も一対一よりも遥かに気楽に教えることができました。「ご

モロッコ王宮前で
皇太子のご学友と

ROYAUME DU MAROC

TRADUCTION
DU BREVET DE DECORATION

"Louange à Dieu seul ! Il n'y a de durable que Son Empire"
(Empreinte du Sceau de Sa Majesté MOHAMMED VI, Roi du Maroc)

Que l'on sache par les présentes, puisse Dieu en élever et en fortifier la teneur !
Que par la Grâce de Dieu et sa Puissance, Nous décernons à :

Son Excellence Monsieur YOICHI MASUZOE
Ministre de la Santé, du Travail et des Affaires Sociales au Japon,
le grade de Grand Officier du Wissam Al Alaoui,

En témoignage de ses mérites et de l'estime dont-il jouit auprès de Notre Majesté.

Puisse cet Ordre lui assurer bonheur et prospérité.

Fait au Palais Royal,
à Rabat, le : **19 Novembre 2008**
Enregistré sous le n° : **63 - 602 - 08**

Par ordre de SA MAJESTE LE ROI,

Le Directeur du Protocole Royal et de la Chancellerie :
Abdelhak EL MERINI

المملكة المغربية

الحمد لله وحده
ولا يدوم إلا ملكه

يعلم من كتابنا هذا أسماه الله وأعز أمره أننا بحول الله وقوته
أنعمنا على سعادة السيد يويشي ماسازوي
وزير الصحة والشغل والشؤون الأجتماعية باليابان
بالوسام العلوي من درجة ضابط كبير
رعيا لما له من أهلية واعتبار لدى جلالتنا فليكن له هذا الوسام
مصحوبا باليمن والسعادة بفضل الله وعنايته.

وحرر بالقصر الملكي بالرباط في 20 قعدة العام 1429 موافق 19 نونبر 2008 وسجل هذا الكتاب الشريف تحت رقم 0063.602.08

بأمر من صاحب الجلالة
مدير التشريفات الملكية والأوسمة: عبد الحق المريني

モロッコ王国から
授与された勲章

学友」たちは、皇太子が国王になると、閣僚や知事となって国王を支えます。後年、私がモロッコを訪ねると、当時の「教え子」たちが大臣や地方の知事となって活躍しているのを見て、嬉しく思ったものです。彼らから私のほうに近寄ってきて、「舛添先生の授業は楽しかったので、よく覚えていますよ」と声をかけてくれるのです。

日本とモロッコの間を往復して、1週間くらいの集中講義を2回行いました。たいへんなハードスケジュールでしたが、素晴らしい経験でした。

授業が終わると、父の国王ハッサン2世から、「授業料」を頂きましたが、モロッコの通貨ディルハムはハードカレンシーではありませんので、現地で何かモノに換えることにしました。

モロッコの友人の案内でフェズに行き、絨毯を買いましたが、何と大小合わせて7枚も買うことができたのです。フェズ・ブルーと呼ばれる青い色の絨毯がメインで、これらのモロッコ土産は今でも我が家を飾っています。国王は、たいへん授業料の高い家庭教師を雇ったようです。

その後、2005年11月～12月に、皇太子が国王ムハンマド6世として来日されたときにもお目にかかりましたが、私の授業のことをよく覚えておられました。2008年11月には、モロッコ王国より、アラウイ王朝勲章グラントフィシエ（Le Grand Officier du Wissam Al Alaoui）に叙せられました。私が厚労大臣のときですが、この勲章は総理大臣クラスに授与するもので、国王の先生ということで、特別待遇だったと聞いています。

　フランス語を習得したことが、このような得がたい経験につながったのです。

外国語習得に成功する 10の原則

これまで、どのようにして外国語を学習したのかについて、海外留学の体験も交えて述べてきました。そして、外国語をマスターするための秘訣については、随所で示唆してきました。

たとえば、第2章で「集中の原則」と「全身の原則」について説明しましたが、この2つの原則を含めて、10の原則についてまとめてみました。

Ⅰ：日本人教師の原則

私は、日本人に基礎を習った外国語はかなりうまくなりましたが、ネイティブの外国人の先生にABCから手ほどきを受けた外国語は十分にマスターしたとは言えない状況です。前者は英語、フランス語、ドイツ語で、後者はロシア語、スペイン語、イタリア語です。もちろん、発音という観点からは、最初からネイティブに教わったほうがうまくなるのは当然です。しかし、学習時間の長短にも関係しますが、習熟度の度合いについては、英独仏語に軍配が上がります。

それは、日本人の先生から、基礎をしっかりと日本語でたたき込まれたからです。赤ん坊が成長するにしたがって言語を覚えていくプロセスと違って、いったん母国語の日本語を身につけてから別の言語を学ぶときには、全く異なる方法をとるべきなのです。

「外国語など、その国に行けば上手くなるさ」というのは全くの嘘で、何年フランスで生活していてもフランス語がほとんどできない日本人はたくさんいますし、日本に何年住んでいても日本語ができない外国人はたくさんいます。

それは、家屋と同じで、土台をしっかりと構築していなければ、外国語の習得はできません。その基礎作りは、日本人の先生のほうが適任なのです。私の場合、スペイン語、イタリア語、ロシア語の場合、教えるのはネイティブでしたから、先生は日本語の構造を念頭に置いているわけではなく、発音はこうだ、文法はこうだと教えてくれても、日本人の日本語による思考回路に入ってこないのです。

日本語・英語を例にとると、たとえば、「私は本を読む」は“I read a book.”ですが、目的語（本、a book）が動詞(読む、read）の前に来るか、後に来るかが違います。そのことを日本人の先生なら説明するのですが、日本語の構造を知らないネイティブでは無理です。そこで、論理的に外国語の文法や構造を理解するところまで行かないのです。

母国語が日本語の場合、学ぼうとする外国語について、文法などの基本的な構造を日本語で説明してもらったほうがよく理解できるのです。私の場合は、英語とフランス語とドイツ語がそうで、この3つの言語については、基本構造が私の日本語の思考回路にインプットされています。

もちろん発音など、ネイティブのほうが遙かに早く上達する部分もありますが、文法をはじめ基礎工事については、日本人の先生に歩があると思います。そこで、物心がついて、日本語が母国語として定着してから外国語を学ぶときには、日本人の先生のほうを薦めます。日本では、小学校、中学校、高校と一般的にそうなっています。ネイティブの先生は、発音の練習などの補助的な役割であるべきで、基本は、日本人の先生に日本語で土台を構築してもらうほうがよいと思います。

Ⅱ：発音と作文はネイティブの原則

土台については日本人の先生にしっかりと叩き込んでもらうとして、やはりネイティブの先生が必要な分野があります。それは、発音と作文です。

言うまでもなく、発音では日本人の先生はネイティブにかないません。海外留学も、そのネイティブの言葉のシャワーの中に身を置くことを意味します。私の場合も、フランス、ドイツ、イギリス、アメリカなど滞在した国で、ネイティブの人たちと一緒にいて発音が改善されました。

今では日本でも、義務教育のときからネイティブの先生が英語の授業に派遣されてくるようになりましたが、これを活用すると発音については効果抜群だと思います。これに加えて、口を開く角度、唇のすぼめ方、舌を置く位置、音の出し方などについて説明してもらうと、より良く理解できると思います。こちらの解説は、日本人の発音の仕方をよく知っている日本人の先生の方が適任だと思います。ベストは、解説は日本人、実際の発音はネイティブという組み合わせだと思います。

それから、どの国の言葉にも地方によって方言があります。日本でも地方方言を操ることで人気を博している外国人タレントがいます。イギリスの地方方言が理解できなくて困った話をしましたが、それはフランスでもドイツでも同じです。

フランス語を例にとりますと、私が日本語訛りを引きずっていた頃は、「君のフランス語はマルセイユ訛りだ」とよく言われました。フランス語は、ベルギー、スイス、カナダなどでも使いますが、国によって少し違っています。私は、フランスの後はスイスで仕事をしましたが、歌うような感じで喋るアクセントには戸惑いました。

そして、何よりも驚いたのは数字の数えかたです。日本語や英語やドイツ語では10，20，30・・・と10進法で簡単ですが、フランス語は70を「60プラス10（soixante et dix）」、80を「20が4つ(quatre-vingts)」、90を「20が4つ、プラス10(Quatre-vingts-dix)」と表現します。

ところが、スイスやベルギーでは、10進法で、70をseptante、80をoctante、90をnonanteと言います。最初にこの数字表現を聞いたときには、何のことか皆目分かりませんでした。買い物などの支払い計算にはこのほうが便利なのですが、やはり本来のフランス語での数字表現を覚えなければなりません。

スイスやベルギーでフランス語を学んだ人は、フランスでは70，80，90はチンプンカンプンということになってしまいます。やはり、フランス語はフランスで学んだほうがよいと思います。

カナダでは、ケベック（Québec）地方でフランス語を使いますが、フランスとは違う使い方に驚いたことがあります。フランス語で「車」は“voiture”ですが、カナダでは、“char”ということがありますが、これは「戦車」という意味です。「空港までcharで迎えに行くよ」と言われて、戦争でもするのかとびっくりしたことがあります。

また、フランス語で“sonner”という動詞は、「鐘を鳴らす」、「呼び鈴を鳴らす」という意味ですが、ケベックでは「電話をする」という意味で使うことがあります。昔の電話は呼び鈴の音でしたので、何となく感じは分かります。しかし、相手が電話をするのではなく、自宅に押しかけてきて玄関の呼び鈴を鳴らすのかと思って、驚いたことがあります。

ドイツでは、ミュンヘンで生活しましたので、私のドイツ語はバイエルン風になりがちです。その地に永住でもするのなら別ですが、やはりいわゆる標準語を身につけたほうがよいと思います。

英語については、私はイギリス英語を学びましたので、アメリカ式の発音は苦手です。また、オーストラリア訛りの英語は、たとえば、dayを「デイ」ではなく「ダイ」と発音しますが、最初は理解できずに困りました。英語の現地学習はどこに行っても構わないのですが、国際公用語の英語の標準語発音を身につけるためには、イギリスかアメリカをおすすめします。

発音と同様にネイティブの力が必要なのは、作文です。たとえば日本語でも、「私が・・・」と「私は・・・」の使い方の違いは、日本人なら自然に理解できます。ところが、日本語を学び始めた外国人には分かりにくいのです。

私たちが外国語で英文を書くとき、それが正しく書けているのかどうか、やはりネイティブにチェックしてもらう必要があります。ネイティブの先生なら、「文法的には正しくても、そのような表現は使わない」といった指摘をすることができます。

私たちが、専門の政治学や歴史学に関する学術論文を外国語で書くときには、必ず、ネイティブの編集者に点検してもらいます。そうすると、文法的にも論理的にも問題ないと思っていた文章が書き換えられて戻ってきます。その文章を何度か読んでみると、「なるほど、こういう表現のほうがピッタリなのだ」と感心させられるのです。

作文のチェックには、ネイティブの先生が不可欠だと思います。

Ⅲ：クラス授業の原則

個人レッスンよりも、集団授業のほうが語学学習は上手くいく。これが第3の原則です。

モロッコの皇太子にご進講申し上げたときのことを先述しましたが、そのときは教えるほうの立場から、一対一よりも、大学のゼミのように複数の学生を教えるほうが遙かに楽だと感じました。これは、相手が皇太子だったからだけではなく、一般的に言えることです。教わるほうも、教えるほうも、一対一のときは、自分の都合を優先させたり、甘えたりしますので、効率よく授業が進まない危険性があります。

教わるほうの立場で言えば、クラス授業で仲間がいます。自分より理解が進んでいない学生がいますと安心しますし、逆に前を進んでいる学生がいれば、負けてなるものかと発奮します。さらには、お互いに教え合ったり、試験を前にして協力し合ったりと、チームワークも発揮できます。

教えるほうから言うと、一対一だと学生の理解力が不足すると、予定通りに授業が進みません。クラス授業だと、遅れている学生には、「クラスメイトに教えてもらいなさい」と忠告して、予定通りに先に進むことができます。つまり、クラスの平均的学生の理解力を基準に授業を進めることができるのです。

私の語学学習を振り返っても、一対一はスペイン語とイタリア語、クラス学習は英語、フランス語、ドイツ語、ロシア語です。クラス学習で習った外国語のほうが上達しています。

Ⅳ：クラスメイトは日本人の原則

重要なのは、日本人の先生が教えるクラス授業ですが、次に大事なのは生徒も日本人の集団であることです。

これは私の体験からの教訓なのです。フランス留学前後のことは既に話しましたが、出発前には日仏学院でフランス人の先生から会話を鍛えられました。留学準備中の学生たちが集まってのグループ授業でしたが、お互いに励ましあって十分な成果が上がったと思います。それは、日本人どうしですから、日本人が苦手な発音の矯正、日本人の発想法では出てこない構文の理解などを、皆で協力して実現できたからです。

たとえば、Rの発音です。日本語のら行は「らりるれろ」でRとLの発音の違いがありませんので、英語やフランス語で、この違いを明確に発音するのが苦手です。「長い（long）」もロング、「悪い（wrong）」もロングで、カタカナ文字で書けば、違いはありませんし、発音も同様です。

そこで、発音はネイティブに学ぶべきなのです。とくにフランス語では、Rの発音は咳をしたときに出るような音で、名前のRéneは「ルネ」というよりも「咳の空気音＋ネ」といった感じです。これを正確に発音できるようになるには、かなりの練習が必要です。私の場合も、フランスで生活する中で、次第に身についていきました。

フランスに到着してからは、まずグルノーブル大学で語学研修を続けましたが、これは一定の成果は上がったものの、問題が多く、むしろマイナスになる点も多々ありました。それは、日本以外の多くの国から来た留学生の集団でフランス語を学んだからです。

とくに同じラテン語系列のスペイン人やイタリア人がいると、マイナスの方が多く、それが、私が授業に出ずにフランス人学生仲間との交流に力を注いだ理由なのです。たとえば、「なぜ」はフランス語では“pourquoi”ですが、これに似た感じのスペイン語に“porque”という単語があります。しかし、その意味は「なぜ」ではなく、「だから」なのです。

もう一つ例をあげると、フランス語の“pourtant”という単語は、「それにもかかわらず」という意味ですが、スペイン語でこれに似た単語は、“por(lo)tanto”ですが、これは「したがって」という意味です。そこで、スペイン人は“purtant”を「したがって」という意味だと誤解してしまうのです。

このように間違ったフランス語を喋るスペイン人と一緒に学習していると、正しいフランス語が身につきません。また、スペイン人の間違いを正すために先生も時間をとられてしまいます。無駄というほかはありません。

さらに、発音もスペイン語訛りなので、フランス語の正確な発音を学ぶ立場からは、邪魔な雑音が入ってくる感じです。これは、むしろマイナスです。

クラスメイトは日本人だけのほうが好ましいと思います。

V：ミニテストの原則

クラス授業のメリットの一つに、クラスメイトの進捗、上達度合いが分かるということがあります。自分だけ遅れていれば、焦りますし、頑張らねばと努力します。そして、自分の学習の進捗具合を調べる最適の方法がテストなのです。

具体的な例をあげると分かり易いと思います。フランス語は動詞の活用が複雑ですが、これを覚えない限りフランス語は習得できません。英語ですと、「行く」という動詞の活用は, go（現在形） → went（過去形） → gone（過去完了形）と3つのみです。ところが、フランス語の場合、主語（私、わたしたち、あなた、あなたたち、彼、彼らなど）によっても、直説法か接続法か条件法か命令法か、現在形か半過去形か単純過去形か単純未来形かなどによっても異なります。フランス語で「行く」はallerですが、87通りに変化します。

この活用を覚えるには、ひたすら暗記するしかありません。allerのようによく使う動詞にかぎって不規則な変化をします。これはもう、一週間に10個といったノルマを課して覚えるしかありません。そして、それを毎週のようにミニテストで確かめるのです。成績が悪いと落第ですから頑張るしかありません。

この大学のクラス授業での、「地獄のミニテスト」を受けたのはもう50年以上前になりますが、その当時の私の答案用紙が残っています。すっかり黄ばんでいますが、必ずしも良い成績ではありません。10点満点の6点などというのもあり、いかに動詞の活用を暗記するのに苦労したかがよくわかります。

このように頻繁にミニテストで暗記を強制しないかぎり、動詞の活用は絶対に覚えられません。一日に一個暗記していっても、30日で30個です。最初の1～2ヶ月くらいの間に、動詞の活用は全部覚えるくらいの覚悟がないと、上達しません。

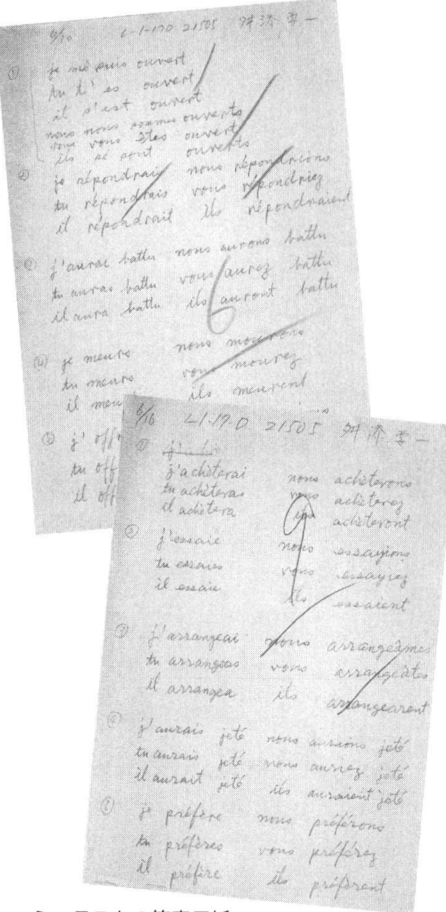

je me suis ouvert
tu t'es ouvert
il s'est ouvert
nous nous sommes ouverts
vous vous êtes ouvert
ils se sont ouverts

je répondrais　nous répondrions
tu répondrais　vous répondriez
il répondrait　ils répondraient

j'aurai battu　nous aurons battu
tu auras battu　vous aurez battu
il aura battu　ils auront battu

je meurs　nous mourons
tu meurs　vous mourez
ils meurent

j'achèterai　nous achèterons
tu achèteras　vous achèterez
il achètera　ils achèteront

j'essaie　nous essayons
tu essaies　vous essayez
il essaie　ils essaient

j'arrangeai　nous arrangeâmes
tu arrangeas　vous arrangeâtes
il arrangea　ils arrangèrent

j'aurais jeté　nous aurions jeté
tu aurais jeté　vous auriez jeté
il aurait jeté　ils auraient jeté

je préfère　nous préférons
tu préfères　vous préférez
il préfère　ils préfèrent

ミニテストの答案用紙

どんな外国語の学習にも、頻度多くミニテストを行うことが不可欠です。そのミニ関門を次々と突破した上に、初めて中間テストなり期末テストで合格点に達することができるのです。

一対一の授業では、テストというのは、教える側もやりにくいのです。ですから、テストを円滑に行うためにも、クラス授業が必要だと思います。ミニテストの必要性を強調するのは、外国語の習得には、一歩一歩、地道な積み重ねが必要だからです。

テストの前には、それまでに教わったことを復習します。いわゆる試験勉強ですが、毎日の授業の後に復習をしておけば、一夜漬けの徹夜勉強で苦労しなくて済みます。大事なのは、授業の後に、帰宅したら必ず30分くらい復習をすることです。後で詳しく説明しますが、そのときに、新たに出てきた単語もしっかりと記憶するのです。

復習も大事ですが、できれば予習も行いましょう。これは5～10分で構いません。授業のテキストをさっと読んでみて、不明なところをチェックするのです。そして、クラスで先生の説明を聞き、理解できるまで質問します。

予習をすると良いのは、先生から皆が質問されたときに、解答できる確率が高まることです。これはクラスで頭角を現すことにつながり、外国語学習に拍車をかけることになります。

「予習・復習の原則」という項目も立てようかと思ったのですが、これはどの科目の勉強でも同じことですので、項目にするのは止めました。しかし、外国語の学習においては、予習・復習、とくに復習は不可欠です。わずかな時間で結構ですので、授業を受けたら、その日のうちに復習する癖をつけましょう。

Ⅵ：集中の原則

これについては、既に説明しましたが、少し詳しく述べてみましょう。

外国語学習というのは、自転車の運転と同じだと思っています。子供の頃、自転車の乗り方を教えてもらったとき、何度も転びながら、少しずつバランスをとる練習をしていきました。そして、最後には転ばずに自転車を操ることができるようになったのです。後は、実際に乗りつづけて、習熟していけば、自分の身体の一部であるかのように、自転車を乗りこなすことができるようになります。

そして、いったん身につけた自転車運転技術は、ときどき自転車に乗っていれば、一生失われることはありません。

外国語も全く同じで、最大のポイントは、転ばずに自転車を乗れるところまでたどり着くことです。つまり、それが土台、基礎をきちんと作るということなのです。そうすれば、ときどき使って錆び付かないようにしていれば、単語など忘れることがあるにしても、基本的な語学力は維持できます。

自転車も外国語も、最初に覚えるときは、土台作りを集中的に行います。集中と言っても、一日に何時間も学ぶという意味ではなく、一日に30分でも1時間でも、毎日欠かさずに練習・学習するという意味です。自転車の場合、それを1～2週間も続ければ、ほぼ乗れるようになります。ところが、1～2週間に1度くらいの練習では、身につけたことを、次の練習のときには忘れてしまい、容易には習熟できません。また、一日に何時間もの練習は、かえって身体が疲れて、飽きも来て、前に進みません。

外国語の学習も全く同じで、できれば毎日、1時間くらい学んで、これを積み上げていきます。これが集中という意味で、一日に5～6時間集中して学べということではありません。長時間学習すると、飽きてきて集中力が途切れ、かえって効率が悪くなります。1日に1時間、毎日学習し、半年も続ければ、大まかな土台は完成します。

まず、文字をきちんと書けるようにします。アルファベットは、皆義務教育のときに英語で学んでいますので、フランス語、ドイツ語、スペイン語などでは、一部の文字以外は、特別なことをする必要はありません。ロシア語の場合は、ロシア文字を学ぶ必要がありますが、これも基本はアルファベットですから、さほど大変ではありません。ハングル、タイ語、カンボジア語などは、英語のアルファベットではありませんので、まず文字の習得をすることが必要です。

発音も同時に大事で、これもしっかりと身につけねばなりません。そして、文法です。これを日本語との違いに注目しながら、頭に叩き込む必要があります。既に述べましたが、フランス語では動詞の変化をマスターすることが不可欠です。

それぞれの外国語によって、基礎を形成する要素が異なりますが、それは、日本人の先生が、日本人に合うように学習メニューを決めてくれます。また、そのときに使うテキストも長年の教授経験から編み出されたものですから、これも有力な武器になります。何度も言いますが、日本人の先生に、日本人のみのクラス編成で、集団で学ぶのが最適なのです。

ネイティブに習った外国語のことを思い出しますと、テキストがスペイン語だったりロシア語だったりで、必ずしも日本人向けに編集されたものではありません。基礎作りの材料からして、適切なものとは言えないと考えます。

半年間集中して学べば基礎は完成します。そして、そこで止めないで、継続して学習していくと、短編小説なども読みこなせるようになりますし、外国語でのテレビニュースなども理解できるようになります。とにかく、最初の集中が大事なのです。

Ⅶ：単語は書くの原則

最近は、私は、パソコンやスマホばかり使っています。漢字を書くときも、かな文字から変換して出しますので、紙と鉛筆を渡されて、ある漢字を書けと言われると、忘れてしまって書けないことがあります。漢字検定とか漢字クイズの番組は、そのような「忘却」を阻止するために役立っていると思いますが、皮肉に言えば、パソコンの普及で多くの人が漢字を正確に書けなくなっている状況を反映しているのかもしれません。

英語も同じで、パソコンで何か書いているときにスペリングを間違えると訂正してくれる機能がついています。そこで、いちいち辞書を引かずに、うろ覚えで単語を書いてしまうのです。文明の利器は便利なのですが、単語を正確に暗記しようというインセンティブを奪ってしまいます。

外国の友人から絵はがきで便りをもらうと、私も日本の絵はがきで返事を書くようにしていますが、これはさすがに手書きになります。そうすると、単語のスペリングに自信がなく、辞書のお世話になることになります。

漢字も外国語も、自分の手で鉛筆を使って何度も書かなければ、暗記できません。覚えるまで何十回でも書くことが必要です。私が若い頃は、新聞のチラシ広告の裏面を使って、書いては覚え、覚えては紙を捨てといった連続でした。

私は、今は、英語とフランス語とドイツ語は毎日使っていますが、やはり勝負はどれだけ単語を知っているか、つまり語彙の豊富さです。たとえば、ドイツの新聞を読んでいて、理解できない単語に出会うと、「ドイツにいた頃はこんなことはなかったのに」とぼやきながら、辞書を引いて確認します。そして、その単語を10回くらい、紙に書きます。そうすると、もう忘れなくなります。

とくに外国語を学習しはじめたときには、新しく出会った単語は、「必ず自分の手で紙に何度も書く、覚えるまで書く」……これが鉄則です。そうして、次々と単語を覚えていくのです。外国語のテストで成績の悪い人に尋ねてみると、「えー、何度も書いて覚えるのですか？」という答えが返ってきて驚いたことがあります。スマホの画面で英単語を眺めているだけで、正確に暗記できると思っているようです。小学校のときに、漢字を何度も紙に書いて暗記しましたが、外国語の単語も全く同じです。眺めているだけで、漢字や外国語が正確に書けるようになるわけではありません。

書き順も含めて漢字を正確に覚えるために、書道も役に立ちます。これは筆と墨で和紙の上に文字を書きますから、スマホと対極にあります。私は、外国の親しい友人には、今でもできるだけ手書きの手紙を書くようにしていますし、友人たちもそうしています。便りをもらうと、封筒の文字を見るだけで、書き方の癖から誰からの手紙かすぐ分かります。

先に述べましたが、やはり筆記体は必要で、早く書けますし、単語を忘れないためにも役に立ちます。今の子どもたちのほとんどが、筆記体を教わっていません。活字体で手紙を書くのなら、パソコンのほうが良いに決まっていますが、外国語学習の上達のためにも、筆記体の復活を望みます。

英語の場合と違って、ドイツ語やフランス語は、スペリングと発音の間に基本的な規則性がありますので、正確に単語が書ければ、発音も正確にできるようになります。その点で、英語は両者の間の規則性がさほどありませんので、綴り方も発音もさらに難しいと思います。このような難しい言語が国際語になったことは、外国語が苦手な人には辛いことですが、世界の中での国家間の力関係を反映していますので、仕方ありません。

Ⅷ：辞書活用の原則

外国語の学習には、辞書が不可欠です。英語を例にとれば、英和辞典です。もちろん和英辞典も必要ですが、まずは英和辞典を最大限に活用することを考えましょう。フランス語なら仏和辞典、ドイツ語なら独和辞典がそうです。

第１章で、私が高校生のときに英和辞典を「読んだ」話をしましたが、辞書は貴重な情報を満載した宝船のようなもので、これを活用しない手はありません。先に結論を言うと、「辞書を引いた回数に比例して、外国語は上達する」ということです。

国際政治学者として、毎日、私は世界中で起こっていることについての情報を外国語で読み、分析していますが、普通は英語、フランス語、ドイツ語の三言語を道具として使っています。400字の中で2、3個くらい分からない単語があっても全体の意味は分かりますが、時間があるときには、必ず辞書を引いて日本語の意味を確認します。「またあの言葉の意味を忘れてしまった」とがっかりしますが、人間は忘れる動物ですから仕方ありません。

外国語の授業の教材、たとえば副読本などは、一語でも不明な単語に遭遇したら、必ず辞書で意味を確かめなければなりません。海外の新聞などを読んで国際情勢を分析しているときでも、時間さえ許せば、私は辞書を使うようにしています。机の上には、毎日使う外国語である英語、フランス語、ドイツ語の辞書が置いてあります。

とにかく辞書は「引く」のではなく、「読む」のだということを徹底してください。ただ、小説を読むわけではありません。ある単語を調べたら、ついでにその単語を使う例文などを確認するのです。そうすれば、次第に語彙が豊富になります。

1度辞書を引いただけで、その単語を覚えることができるほど暗記力に優れた人は、まずいないと思います。できれば、辞書を引いて言葉の意味を確認したら、先に述べたように、自分の手で紙と鉛筆で何度も書いて覚えるのです。実際に回数を数えたことはないのですが、私の場合、ある言葉のスペリングと意味を完全に暗記するのに、10回以上は辞書を引いていると思います。

今は電子辞書に代わりつつありますが、紙の辞書の場合、私の昔の辞書のようにボロボロになるのは当然です。自分の辞書が、使い続けて紙がすり減るくらいになるときが、外国語が使い物になるときだと思います。

New York Timesを毎日読んでいると、日本の英和辞典には掲載されていない単語によくぶつかります。そこで、アメリカで大部の英英辞典を購入し、それを使って意味を調べることにしています。また、スラングについては、アメリカの友人に教えてもらった辞書を購入して使っています。

しかし、普通は英和辞典で十分ですので、座右に辞書を置く、辞書と友達になることを実行してほしいのです。

IX：ノートに書くの原則

今はパソコンとスマホの時代で、私にとっても、この文明の利器は仕事には欠かせない道具です。しかし、同時に、昔ながらのノートブックと鉛筆と消しゴムもまた愛用しています。それは、パソコンよりも使い勝手が良い場合があるからです。

まずは、私の「読書ノート」を紹介しましょう。

本を読むと、引用したくなるような文章、反論したくなるような主張、思わず感激する言葉などに出会います。そのときにどうするか。下線や側線を引くという手もありますが、本が汚れてしまいます。

若い頃に読んだ本は、感想や難しい言葉の意味などを鉛筆で書き込んであります。50年後になって眺めてみると、学生の頃はそんな言葉も知らなかったのかなどと、昔を思い出して懐かしくなります。

また、昔読んだ本には、ページの間に細長い紙を挟んで、そこにメモをしている本もあります。その当時には、Post-it　などという便利な文房具はなかったからです。Post-itは、1980年から全米で発売になり、世界中に広まりましたが、今は、私も、Post-itのような付箋を愛用しています。

私は、付箋を使って、ページの上に貼り付けます。必要なメモは付箋上に書きますので、本がメモ書きや側線、下線で汚れることはありません。この付箋活用は、あとで参照するときに便利です。ただ、250ページくらいの本に50カ所くらいベタベタと付箋を貼ってしまいますと、その50カ所の中から必要なページを見つけるのがまた一苦労です。

マーカーペンで、重要な言葉などに印をつけるのもまた一つの方法ですが、これも本が汚れることには変わりありません。

下線・側線をひく、マーカーペンで目印をつける、あるいは付箋を貼るのは、しっかりと本を読んだ証拠でもあります。それらの作業で、読んだ本の中身を頭の中に叩き込むことができます。

それらの工夫以上に、一冊の本をもっとよく理解し、その内容を頭にとどめる方法があります。それは、読書ノートを記すという手です。私は、本を読みながら、ノートにその内容をメモしたり、重要な文章を書き写したりします。普通のノートブックと鉛筆と消しゴムが道具です。

私の場合、仕事で書評を書くことがありますが、そのときには、必ず読書ノートに何ページにもわたって、ポイントを整理します。本を読み終わると、その内容が簡潔にノートに記されていることになります。書評は、それをまとめれば簡単に書けます。

また、必要があって数年後に同じ本を参照するときには、読書ノートを読み直してみれば、本の内容がよみがえります。もう一度読み直すという手間も省けます。

もちろん、手早く流し読みするのに比べて、読書ノートを書きながら読むと、時間は倍以上かかります。しかし、理解の度合いも倍以上になりますし、何よりも後々に活用できる範囲が広がります。

私は、紙のノートを使っていますが、パソコンやスマホのメモ機能などを使って電子読書ノートを作っても構いません。読書ノートを書くというのは、読んでいる本を自分の手と頭を使って書き直すことを意味します。

もちろん、娯楽小説などでメモをとる必要のない本もありますし、期待して読み始めたら中身の無いつまらない本だった場合は、読書ノートに記す必要はありません。

長々と、読書ノートについて語ってきましたが、実は、外国語の学習にもノートブックは不可欠です。約50年前の私のフランス語とドイツ語とロシア語の学習ノートが保存してあります(P29、P35、P38参照)。筆記用具は、鉛筆や万年筆やボールペンですが、練習問題を頑張って解いたり、単語の意味を書いたり、動詞の活用を調べたりと、苦労の痕跡が残っています。
これらの学習ノートは、復習ノートで、帰宅してから、授業で教わった内容をノートにまとめるのです。30分～1時間くらいはかけて、その日のうちに自分の手で書いて、しっかりと覚えていくのです。これを毎日継続すれば、必ず外国語はうまくなります。
2002年の「ゆとり教育」で筆記体を学ばなくてもよいようになりましたが、これは間違いです。一日も早く必修に復活させるべきです。活字体しか無ければ、学習ノートにこのように迅速に記すことができません。
漢字でもそうですが、何画もあるような複雑な字を、スマホの画面上で眺めているだけで暗記できる人はほとんどいないと思います。英語など外国語も同じです。外国語の授業内容、つまり外国語の文章や単語、そして日本語での説明などをノートに書いていくのです。
数学、理科、社会などの他の科目でも同じですが、ノートに教わったことを書いて復習する作業は、自分の頭を必ず使いますので、内容がしっかりと身につきます。難しい表現をすれば、授業内容を「自家薬籠中の物にする」ということです。
私の経験を振り返ると、きちんとノートに整理して学習する度合いに比例して外国語は上達します。

X：全身の原則

これまでも、自分の手を使って単語を何十回も書けというようなことを述べましたが、最後に、外国語は全身を使って覚えるべきだと強調したいと思います。

ある一つの言語ができるとは、①読める、②書ける、③聞き取れる、④喋れる、の4つが備わることです。日本人でも、日本語について①と②は完全ではない人がたくさんいます。まして外国語なら尚更です。私の韓国人の友人に、会話は日本人と変わらないくらいにできるのに、読み書きが全くできない人がいます。日本語でメールのやりとりができませんので、電話で話すしかありません。できれば、4つのことができたほうがよいと思います。

①読むは目を、②書くは手を、③聞き取るは耳を、④喋るは口を使います。

要するに全身を使うということです。

まずは①の読むことです。外国語で本や新聞を読むときには、習熟するまでは、黙読ではなく、声を出して読みます。こうすると、発音も正確に覚えます。また、不明な単語は辞書を引き、できれば手で紙に書いてみます。気に入った文章は、何回も口に出して唱えて暗唱します。

次に④の喋るですが、たとえば英語で会話するときは、ネイティブではありませんから、まず頭の中で作文をします。つまり英作文です。実際には紙に書かなくても、瞬時に言いたいことを英作文しているのです。英作文ができなければ、英会話もできません。だから、英作文の練習をおろそかにしてはなりません。

作文するときに、日本語の英訳が分からないときには、和英辞典を参照しますが、それに加えて、現在形か過去形か未来形か、関係代名詞をどう使うかなど、いろいろな注意が必要です。

英作文上達の前提として、できるだけ多くの英語の文章を読んでおく必要があります。新聞でも雑誌でも本でも構いません。「学ぶ」というのは「真似る」ということで、ネイティブが書いた文章を覚えていって、それを活用するのです。アメリカ人やイギリス人と話していて、「何だ、こんな簡単な表現があるのか」と驚くことがあります。とにかく、ネイティブの良い文章を真似ていくことが大事なのです。

これは、英語にかぎらず、すべての外国語学習について言えることです。

外国語の会話は、相手の言っていることを理解することが前提ですが、実は、③の聞き取るということは、たいへん難しいことだと思います。相手の使っている単語の意味を知っていなければ、理解の仕様がありません。また、相手の発音によっても、理解度が異なります。私の英語はイギリス英語ですので、アメリカ英語は聞き取るのに苦労します。しかし、これも慣れるしかありません。

外国語の勉強は、まさに「習うより慣れろ(Practice makes perfect.)」です。後で詳しく述べますが、外国のテレビを見るのが、その言語に慣れるのに役に立ちます。とくにニュース番組は、映像によって話題になっているテーマが分かりますので、言葉は完全に理解できなくても、内容は理解できます。アナウンサーの語りぶり、口の動かし方をよく観察すれば、発音も簡単に学ぶことができます。

今は、スマホでいろんな国のニュース番組を簡単に、しかも無料で見ることができます。これほど便利な道具を使わない手はありません。特別な会話用教材など使わなくても、外国語を上達する手は身近にあるのです。

そして、できれば、英米、フランス、ドイツなど、自分の習っている言語を使っている国に旅行したり、滞在したりして、どっぷりと全身をその言葉の海の中に浸けることです。

たとえば、私がフランスいたときには、できるだけ日本人と付き合うのは避けて、フランス人と一緒にいましたので、朝から晩までフランス語の中にいました。聞く、喋る、読む、書くなど、まさに全身を使います。

当時は、カードよりも小切手帳を使うことが一般的でしたので、数字もアラビア数字のみならず、フランス語で書かねばなりません。10フランなら“dix francs”と書けなければ、買い物もできないわけです。まさに、フランス語が生活必需品でした。こうして、フランス語がうまくなっていったのです。

外国語を上達するには、スポーツと同様に、全身を使って格闘する必要があるのです。

注意すべき
10の落とし穴

前章で外国語を習得するための「10の原則」について述べたときに、すでに指摘しましたが、私たち日本人は間違った先入観に取り憑かれているようです。本章では、その典型的なものを取り上げてみましょう。

1：オーラルを重視する

世界中で多くの人が英語を学んでいますが、平均的な日本人は英会話が下手です。そこで、「中学で3年間、高校で3年間、大学で2年間、計8年間も学習していて、まともに英語が喋れないとは何事だ」と、よく外国人に批判されます。

そこで、これからの英語教育は「オーラル重視」で行くべきだという意見が強まっていくのです。「ネイティブの先生について、とにかく会話中心に学ばねばならない、これまでの学校の授業のような勉強法では駄目だ」というのが、その主張です。

しかし、この考え方は間違っています。それは、第一に、ある程度の基礎、土台を構築しないまま、いきなり会話を練習しても、オウムが反復して教わっているのと同じで、意味もよく掴めないまま喋ることになります。発音はネイティブ並みになっているかもしれませんが、内容をよく理解しないで音だけで記憶すると、すぐに忘れてしまいます。

前章の10番目の項目、「全身の原則」について述べたように、耳と口だけではなく、目、手など、まさに全身を使って基礎を叩き込むのです。その上で、ネイティブに正確な発音を習って、英会話の練習に入ればよいと思います。

これは英語以外のあらゆる言語について言えることで、会話さえできればよいとして、会話練習から始めると、ほとんど身につかないまま終わってしまいます。文法、作文、読解などの訓練を行う過程で、発音も同時に覚えていきますし、発音に磨きをかけるのは後でも間に合います。それよりも土台をしっかりと築くことを優先させるべきです。オーラルだけを重視するのは禁物です。

私も、たとえばフランス語は、フランスに留学したときに、仲間のフランス人たちに発音を矯正されました。そのおかげで、日本人には難しい発音も、今ではフランス人並にできます。英語の発音については、アメリカの学友が厳しくチェックしてくれました。

私の経験を振り返ると、聞き取り(hearing)が重要です。喋るほうは、頭の中で作文して、それを音（声）にするだけですから、実はさほど難しくありません。ところが、聞き取るほうは、相手の言葉が不明瞭であったり、訛りがあったりすると、何を言っているかよく分かりません。これは数をこなすしか上達方法がありませんが、それは、外国の映画やテレビを見ながら、簡単に実現できます。スマホがあれば、聞き取り練習は通勤通学の電車の中でも可能です。後で、具体的な勉強法を教えます。

II：外国語で考える

私は、ヨーロッパで生活していたときには、妻はフランス人でしたので、家族も友人もフランス人で、朝から晩までフランス語しか使いませんでした。日本語は使いませんでしたので、ある物、たとえばジャガイモを見て、“pomme de terre”というフランス語は直ぐ出てきても、「ジャガイモ」という言葉を忘れたりすることすらありました。夢もフランス語で見ていました。

そのような環境だと、自分が主張すべきことを最初からフランス語で考えていました。しかし、そこまでになるには、かなりの時間とフランスという環境が必要でした。今は、フランス語で論文を書くような場合を除いて、日本語で思考し、それをフランス語に訳しています。

英語の例で考えますと、頭の中で和文英訳をしているわけです。「それは駄目で、最初から英語で考えなさい。日本語で考えてはいけません」ということを言う先生がいます。それができれば、翻訳という作業が省略できますので、余分な時間と労力を使わなくて済みます。しかし、それは初心者には無理なのです。

言いたいことをまず日本語で考えて、それを英語に訳すのです。つまり、英作文です。これを繰り返して習熟するしか手はありません。熟練の域に達してはじめて、最初から英語で考えることができるようになります。

私も英語やドイツ語をはじめ多くの外国語を学びましたが、最初から外国語で考え、喋り、書くことができるのはフランス語だけです。それは、そうせざるをえないような生活環境だったからです。日本で生活している現在は、ほとんどの場合、日本語で考え、それをフランス語に翻訳して発信しています。

外国語を学んでいる段階では、その外国語で複雑な思考をするのは不可能です。やはり、日本語で考え、それを外国語に訳すというプロセスが必要になります。

二つの母国語を自由に操ることができるバイリンガルの人は、たとえば、父親がアメリカ人で、母親が日本人という家庭で生まれ、英語と日本語をネイティブ言語として身につけています。普通の日本人である私たちは、母国語が日本語ですから、日本語の思考プロセスがインプットされています。そこで、「最初から英語で考えろ」と言われても、できない相談なのです。

近代における日本人の外国語学習の歴史を振り返りますと、江戸時代には蘭学が第一外国語でした。日本人は、オランダ語の文献を読むために、蘭和辞書を作り、医学、生物学、造船、兵器、思想など当時の先端技術・文化を解説したオランダの本の中身を研究しました。まさに蘭文読解に力を入れたのです。『解体新書』(ターヘル・アナトミア) の刊行 (1774年) は、その代表的な例です。

読むことに全力を集中しましたので、発音などには無頓着です。幕末明治維新期には、福沢諭吉、西周などが、欧米の専門用語を日本語に訳し、近代日本の学問の基礎を構築するのに貢献しました。中国や韓国でも、専門用語となった和製の漢字が流布しています。

この経験など、オーラル重視とか、まず外国語で考えろとかいう主張とは対極的なものですが、大きな歴史的意義を持っています。皮肉に言えば、外国語の発音が下手で、会話も苦手な日本人だからこそできた仕事だったのかもしれません。オランダ人に直接尋ねるわけにも行かず、辞書を頼りにコツコツと文献を解読する作業です。オランダ語で考えるどころか、オランダ語を日本語に翻訳して、日本語の思考パターンで対応するプロセスです。

「外国語で考える」という落とし穴にはまってはなりません。

Ⅲ：外国語学校重視・学校の授業軽視

外国語の習得は、学校の授業、個人レッスン、会話教室など、どのような手段でもよいし、それぞれに利点と問題点があります。これまで述べてきましたように、中学校、高校では、必ず英語を教わります。そして、大学では、それに加えて、もう一つ外国語を学びます。

この学校での授業が、すでに述べましたように、集団で学ぶ点、日本人の先生に教わる点などで、日本人には最適なのです。ところが、その利点を無視して、外国語は専門の語学学校に通わないと上達しないと思い込んでいる人がいます。

私も、フランス留学前には日仏学院に通い、会話の練習に励みました。またフランス人の先生から、フランスの新聞や雑誌の読み方を教わったり、直近のフランス事情の説明を受けたりしました。これは、留学前の会話の特訓としては、たいへん意味のあることでした。しかも、フランス人の先生は、外国人にフランス語を教える専門家で、テキストもフランス政府が何年もかけて編集した最良のものでした。

今振り返って思うに、このような特訓が花開いたのは、大学の授業でみっちりと積み上げた基礎があったからです。
しかし、基礎も固めないうちに、たとえば英会話教室に通っても、練習したことが、血となり肉となるのは難しいと思います。ただネイティブの発音を真似るだけならば、英会話の教材がたくさんあります。それを使えばよいし、また、アメリカの映画を見たり、英米のテレビ番組を見れば、自然に覚えることができます。第8章で詳しく説明しますが、スマホでほとんどのことができるのです。
「学校の授業よりも語学学校へ」というのは、誤解です。英会話教室のような語学学校は、それなりの意義はありますが、自分の学習の進展具合と上達のレベルをよく考えて通うのを決めるべきです。
学校の授業とスマホ、これはお金もあまりかかりません。費用対効果という点では、語学学校はさほど有利ではないと思います。皮肉を言えば、高い授業料を払えば、何とか元を取りたいと思って一生懸命学習するようになります。それはそれで、一つのメリットかもしれません。

Ⅳ：参考書重視・教科書軽視

これも学校の授業を軽視するのと同じようなことです。外国語学習のみならず、すべての学科に当てはまることですが、教科書が第一ということです。参考書は、あくまでも「参考」のためのものです。
ところが、教科書の内容も十分に理解せず、そこに掲載されている練習問題もきちんと解かないまま、参考書に飛びつく人がいます。これは間違いです。

私が使ったフランス語やドイツ語の教科書が残されています。十分に学習した痕跡がありますし、ドイツ語については50年前のノートに、その教科書の練習問題を解いた手書きの答案が残っています。

学校の教科書を完璧に消化すれば、ほぼ外国語の基礎作りは終わったと言えます。たとえば、英語について言うと、義務教育の中学校の教科書をもう一度読んでみて下さい。その内容をマスターしていれば、英会話も含めて、相当なレベルで英語を使うことができるはずです。

社会人になって、海外赴任などの必要に迫られて、英会話教室に通っている人が、中学校や高校のときの英語の教科書を読み返すと、いかに高いレベルであるかに驚くと思います。そして、「あの頃、しっかりと身につけていれば、会話教室に通う必要もなかったのに」と悔しがるはずです。

私も、かつて使った教科書を読み返すと、この宝庫を活用できていなかったことに気づいてがっくりするのです。教科書を侮ってはなりません。まして、教科書を無視して参考書に走るのは愚の骨頂です。

外国語を教える立場で言うと、教科書の選択が重要なのです。中学校、高校の教科書は文科省が検定し、現場の先生たちの声も反映された内容となっていますので、使い勝手のよい充実した内容となっています。大学のテキストも、専門の教授たちが、長年の授業経験を元に編纂していますので、日本人の学生には分かりやすいものだと思います。

教科書を完璧に暗記するくらいに頑張れば、十分に使い物になる語学力を身につけることができます。

V：本は読まない

ある外国語をうまくなるというのは、読む、書く、聞く、話す、すべてができるようになることです。外国人とよどみなく会話ができると目立ちますし、皆に尊敬されます。そこで、会話の練習を重視するようになるのは、よく理解できます。とくに日本人は、引っ込み思案のきらいがあり、また完璧主義なので、自信がないと自分から話そうとしません。それだけに、なおさら会話が自由にできることを最終の目標とするようになるのです。

そして、それが嵩じると、本を読むことなど必要ないとすら思うようになってしまいます。外国語の本を読み、内容を理解するという「読解」の軽視ですが、これも間違っています。

先述しましたが、江戸時代以来、日本人の外国語学習の目的は、西洋の進んだ科学や文化を、書物を通して吸収することにありました。発音や会話など二の次で、字引を頼りに本を読んでいくことが目的でした。まさに「読解」です。

ところが、最近は会話が中心で、じっくりと外国語で本を読むという作業が疎かにされています。幕末明治維新期の日本人の外国語の発音はデタラメでしたので、相手に通じませんでしたが、そのときには、紙に文章を書いて、つまり筆談で意思疎通ができたのです。いざという時には、この手もあります。

中国人とは、漢字の筆談で意思疎通ができますので、今でも私は試みることがありますが、明治時代などは、日本人は漢文の素養がありましたので、中国人との筆談が随分と役立ったようです。孫文が日本に滞在したとき、政治家や知識人と交流を持ちましたが、そのときの筆談の記録を見たことがあります。拙著『孫文』(角川書店、2011年)にも書きましたが、会話はできなくても、文章が書ければ何とかなるという例です。

本当の教養というのは、万巻の書を読んで身につけるものです。外国語学習に必ず「読解」があるのは、辞書を引きながら、小説などの文章を読み込んでくことが大きな意味を持つからです。素晴らしい文章に出会えば、それを暗記します。そして、それを真似ながら、自分でも文章を作成します。これが「作文」です。先にも説明しましたが、作文を瞬時に頭の中で行って、口に出すのが、会話ということなのです。

「読む」という作業を放棄して、外国語をマスターできるわけではありません。「読む」ことの利点は、辞書を参照したりして、時間をかけるだけに、しっかりと記憶にとどめることができることにあります。一つ一つの単語もそうですが、その外国語特有の表現方法なども頭の引き出しに整理されていきます。

私は、知らない単語に出くわすと、まず辞書で意味を調べ、その単語が含まれる文章を声に出して読むようにしています。発音の練習にもなりますし、文章の構造もよりよく理解できるような気がします。

外国語がある程度上達すると、小説や随筆を原語で読む楽しみが増えます。邦訳を手元に置きながらでも、たとえばシェイクスピアの作品を読むのです。古今東西を旅しているようなもので、自分の世界が大きく広がります。「本を読まない」というのは、人生で大きなものを失うことを意味します。

Ⅵ：大人になってからでは遅すぎる

外国語の学習は、子供のころから行うべきで、大人になってからでは遅すぎるというのも正しくありません。子供の頃は、発音などを含めて、暗唱するような内容を学ぶのも早いのですが、忘れるのも早いのです。私たちが、ネイティブとして日本語を忘れないのは、日常生活で毎日使っているからです。

父親がアメリカ人、母親が日本人の家庭では、子供は英語と日本語を同時に覚えても、両方使いますので、忘れることはありません。子供の頃から外国語の習得をすることは悪いことではありませんが、大人になってからの学習も無理なはずはありません。

私は、日本語が母国語で、英語は中学校、ロシア語は高校、フランス語などそれ以外は大学になってから学びましたが、今でも、使用言語として役に立っています。フランス語を例にとると、日仏学院に通って磨きをかけたのは留学前で20歳を過ぎていました。その後、フランス滞在中にも頑張って語彙や表現法を増やしていって、フランスでの生活、仕事に差し障りのないところまでなりました。

日本語の文法なども身につかない幼少の頃では、外国語の文法や構造などを論理的に教えるのは無理です。そこで、単語や簡単な文章を覚えたり、短い会話を練習したりするのが精一杯です。だから、せっかく習っても、しばらく実践しないとすぐに忘れてしまうのです。

幼少の頃、親の海外勤務などに同行して海外で過ごした子供たちは、日本に帰国後は、日本という環境の中で外国語を使うことがほとんどないからです。大人になってからでも、外国語の学習は十分に間に合います。

外国語は、できれば30歳前の元気な若い頃に学習すれば、上達は早いと思います。しかし、何歳になっても学ぶ意欲があれば、上達は可能です。「70歳の手習い」でも構いません。働き盛りのときは、時間がなくて外国語の習い事ができない場合があります。定年退職後、時間がたっぷりできたら、趣味の一つとして、新しい外国語に挑戦するのもよいと思います。精神的にいつまでも若さを保つのに役立ちます。

とにかく、外国語の学習は大人になってからでは遅いというのは、明らかに間違っています。

Ⅶ：受験英語は使い物にならない

英語以外の科目でも同じことですが、高校や大学に入学するために一生懸命に受験勉強をしますが、それがあまり役に立たないという話をよく聞きます。難しい物理学の理論などは、その後の生活で使うことはあまりありませんが、英語も受験英語は使い物にならないから、入学したらおさらばだと言って、ひたすら忘れようとする人がいます。そして、英会話教室に通って、新たな学習だと意気込むのですが、これは間違いです。

私は何か国語も外国語を習いましたが、基本は暗記です。暗記には努力が要ります。第4章のⅤ「ミニテストの原則」で述べましたように、試験でもなければ単語など覚えようとはしません。私も、半年後にフランスに留学となって、慌てて日仏学院に通ったのです。フランス語ができなければ、研究も生活もできないからです。

そういう必要に迫られないかぎり、人間は怠け者ですから、苦労して外国語を習得しようとはしないのです。試験に落第すると卒業できない、入試で英語の試験に失敗したら希望する大学に入れないといった理由で、皆頑張るのです。

大学入試の英語の問題を見て、英米の大学生があまりの難解さに驚いた話をしましたが、重箱の隅をほじくるような奇妙な問題も多々あります。そんな細かい点まで学ばなければならないのかという疑問もわいてきます。しかし、ほとんどは基礎的な学力を測定するための問題で、高校の授業できちんと勉強していれば解くことが可能な問題です。

語彙を含め、長文読解、英作文、聞き取りなどオールラウンドに学習し、その成果が試験で試されるのです。単語のみならず、get, make, takeなどを使った熟語もたくさん暗記せねばなりません。大変な労力を使って身につけた知識は、大学でも、その後の社会人生活でも必ず訳に立ちます。受験が終わったら、捨ててしまうのはもったいないかぎりです。

実際にアメリカやイギリスで、受験英語を使うと、それよりももっと簡潔で使いやすい表現に出くわしたり、「今はあまりそのような言い方はしない」と言われたりすることがあります。スラングなどには、全く理解できない表現もあります。しかし、受験英語は、建物に例えれば、土台を構築する上で、たいへん役に立っているのです。せっかく身につけた貴重な知識は、しっかりと維持していきたいものです。

Ⅷ：日本では習得できない

今では、多くの外国人が日本に住んでいますし、また外国語学習のための視聴覚教材なども揃っていますので、日本にいても外国語の習得は可能です。もちろん基礎をしっかりと身につけた上で、外国に行き、そこで生活しながら現地の言葉に磨きをかけるに越したことはありません。

東大でドイツ語を教わった先生の一人が、定年退職のときに「私の自慢は、一度もドイツに行ったことがないことです」と言ったときには、びっくり仰天しましたが、これは極端な例です。旅行会社が格安のツアーなどを企画しており、誰でも簡単に海外旅行ができる時代が来ています。百聞は一見にしかず、ぜひとも海外を体験してほしいものです。

実際に海外で生活すると、外国語が身につきます。先にも話しましたが、私がフランスで勉強していた頃は、市場で買い物をしましたので、野菜，果物、花、雑貨品などの名前をフランス語で覚えました。日本にいて、大学の研究室で歴史の本をフランス語で読んでいるときは、そのような単語と無縁でした。

外国での生活を体験すると、豊富な生活関連の語彙のみならず、新しい表現方法や流行の若者言葉なども身につきます。

機会があれば、是非とも海外で生活してみて下さい。

しかし、海外に行かなければ外国語が学べないというわけではありません。日本でも十分に語学力をつけることはできます。外国語が上手くならないことの言い訳に、「自分は海外留学しなかったので仕方ない」という人がいますが、それは間違っています。

外国に行って、日本語の上手な外国人に会うことがあります。「どこで日本語を勉強したのですか。いつ日本に留学したのですか」と尋ねると、「独学なんです。一度も日本に行ったことがないのです」という答えが返ってきて驚くことがあります。

私たち日本人も、別に海外に行かなくても、十分に外国語を習得できるのです。外国語は「最初から現地に行って習え」という考え方には、あまり賛成できません。子供の頃に海外で生活した若者の中で、帰国してからもその地の言葉をしっかりと覚えているのは少数派でした。

何度も言いますが、まずは日本でしっかりと基礎を学ぶこと、それが成功の扉を開くことにつながります。日本に帰国したら外国語を忘れてしまう子供たちは、文法などの土台が確立していなかったからです。

外国語は、「日本にいたのでは上手くならない」とか「最初から外国で学ぶべきだ」とかいう主張には、あまり賛成できません。

Ⅸ：文法にこだわるな

私たちが、日本語を喋るときに、文法的に正しいかなど考えることはありません。それは、日本語が私たちの母国語で、私たちがネイティブだからです。

英語がうまくならない日本人に対して、「文法にこだわって萎縮している、文法など忘れてもっと自由に喋ればよい」と忠告してくれる人がいます。「アメリカの子供は、文法など知らなくてもきちんと話しているではないか」と言うのです。しかし、それはアメリカ人にとって英語がネイティブだからできることなのです。

「文法など、かえって邪魔だ」とすら主張する者もいますが、それは間違っています。文法は法律とは違って、それを守らなければ罰金というようなものではありません。文法というのは法則であって、言語をいかに効率よくマスターするかの鍵だと考えればよいのです。この鍵を握ることによって、外国語が論理的に理解しやすくなるのです。こんな鍵を手放すのは馬鹿げています。

日本語を喋る外国人で、文法など滅茶苦茶なケースがありますが、何とか意味は通じるにしても、私たち日本人から見ると、何か変です。私たちが外国語を喋るときも同じで、コミュニケーションはできても、「変な外国語」になってしまいます。

アメリカの大学で議論していたときに、アメリカの学生の文章で、どうも矛盾するような言い回しに聞こえたことがあり、聞き直してみると、文法的には正しくないと判明することがよくありました。これは日本語でも同じで、私たち日本人が何となく使っている表現で文法的に間違っているケースもあります。

会話のときには気にならないのですが、学術論文などを書くときには、おかしな点がすぐに分かってしまいます。英語で論文を書いたり、本を出したりするときには、英語をチェックしてくれる専門の編集者がいて、徹底的に朱を入れ、文法的に正しい英語に直してくれます。

言葉は他人とのコミュニケーションの手段ですので、こちらの言いたいことが相手に通じれば良いのです。しかし、せっかく習得する外国語ですから、正しい文章を構成する能力は身につけたいと思います。そのためには、その言葉のルールである文法をしっかりと学ぶことは、長期的には外国語学習の効率を上げることにつながります。その意味で、「文法にこだわるな」というのは間違っています。大いに文法にこだわって、自分が学んでいる外国語の上達に役立てましょう。

X：ネイティブから習え

外国語を習うのなら、「最初からその言葉のネイティブから習え」という意見があります。確かに、発音などは正確に教えてもらえるので、日本語訛りの外国語を覚えるよりは実りがあります。

しかし、ネイティブの先生のみに習うというのは、あまり感心しません。私の場合は、ネイティブの教師だけに教わった言語はあまり使い物にならず、日本人の先生に基礎を叩き込んでもらった言語のほうが上達しているからです。

アメリカ人であれば誰でも英語を教えることができるわけではありません。語学教授法をマスターした専門家でないと教えるのは難しいのです。私も、ドイツ人やフランス人に日本語を教えたことがありますが、発音以外は全く駄目で、もうこの仕事は嫌だと思いました。それは、外国人に日本語を教える訓練を受けていないからです。何の訓練もなしにできるのは、正確な日本語の発音だけです。

英会話教室などで、「ネイティブの先生が教えます」と宣伝しているところがありますが、訪日しているアメリカ人やイギリス人をアルバイトで採用しているような学校には行くべきではありません。英語教授資格などの証明書を見せてもらいたいくらいです。

その点では、私がフランス留学前に通った日仏学院のフランス人教師たちは、フランス政府のお墨付きを持つ立派な先生たちでした。東大でフランス語の基礎を叩き込まれた後に、最良の教材を使ってフランス人の先生に仕上げをしてもらいましので、フランスに到着してから「使える武器」となりました。

物心がついて、日本語の言語体系が身につき、日本語のネイティブとなってからは、日本人の先生に日本語で説明してもらいながら、外国語を一歩一歩学んでいったほうが上達すると思います。第4章の最初に、「日本人教師の原則」と「発音と作文はネイティブの原則」と題して，詳しく説明した通りです。

基礎ができあがったら、ネイティブの先生に発音や作文を教わるのです。もちろん日本人とネイティブの先生の同時進行でも構いませんし、そのような贅沢な教師の組み合わせができる学校は恵まれています。

しかし、全ての学校がそのような状況ではありません。①ネイティブの先生はいないが、日本人の先生が教える、②日本人の先生はいないが、ネイティブの先生が教える、という二者択一を迫られると、皆②のほうがよいと考えると思います。私は、全く逆で、①が正解だと思います。

「ネイティブから習え」という主張は必ずしも正しくありません。

以上、多くの人がはまり込みそうな10の落とし穴について説明しました。これらは、第4章で解説した10の原則から当然導き出せるものです。外国語習得の「成功への扉」を開けるためにも、「失敗への道」についても認識しておいたほうがよいと思います。

目標は流暢な外国語を喋ること

自由に外国語を話すこと

第４章で外国語学習の原則、第５章でうっかりはまってしまう落とし穴について述べましたが、これらは世間の通説に挑んだ主張です。皮肉と逆説に満ちています。

たとえば、「オーラル重視」を批判したのは、文法も学ばないで、オウムのようにネイティブの言うことを繰り返せば外国語をマスターできるわけではないからです。アメリカ人と一緒にいただけで英語がうまくなるほど、英語学習は甘くはありません。

そこで、警告の意味を込めて俗説に対抗したのですが、ワサビが効きすぎて、会話の練習など不要だと思われると困ります。これまで述べてきたことは、あくまでも基礎をしっかりと固めるにはどうすればよいかという観点からの指針です。その土台の上に、「読む」「書く」「聞く」「話す」のすべての分野で上達することが望ましいのです。とくに、究極の目標は会話だということを、この章では力説したいと思います。

私たちの日常生活を振り返ると、喋り言葉によるコミュニケーションの比率が圧倒的に多いことに気づきます。家族との会話、職場での仲間との相談、商店での買い物、飲食店での食事、ほぼ全てが言葉を喋ることによって成り立っています。私たちが日本語を喋っているときには、文法など考えもしません。

ある外国人の日本語がうまいかどうかは、話してみるとよく分かります。訛りのない流暢な日本語で受け答えされると、びっくりしてしまいます。逆に、私のような日本人が、外国人に語学力を褒められるのは、会話をするときです。「発音が素晴らしいですね」とか、「私たちの○○語と変わりませんね」とかいった賛辞が返ってきます。

外国人と自由に会話ができるようになること、それこそが外国語学習の最終目的であることを強調したいと思います。

第4章や第5章で述べたのは、その目標に到達するための効率的な道程にすぎません。間違った登山路を選べば、山頂には辿り着きません。だから、登山ガイドが必要なのです。しかし、目的地が山頂であることを忘れてはなりません。

本章は、そのことを説明するためのもので、会話に上達する方法を記してみようと思います。

海外で生活する：日本人を避ける

会話が上達する最適の方法は、その言葉が使われている国に行き、生活することです。できるだけ日本人との接触を避け、現地の人と付き合っていけば、必要に迫られて語学力はアップします。

よほどの秘境に行かないかぎり、世界の大都市には日本人がたくさん住んでいますし、日本人コミュニティを形成して協力しあって生きています。これは、初めてそこで生活する者にとっては、大事な情報を入手するのに役に立ちます。しかし、日本語で用が済みますので、外国語の学習には役に立ちませんし、むしろマイナスです。外国語ができないストレスを発散させるために日本人だけで会っているような感じで、あまり褒められたものではありません。

日本人ではなく、現地の人たちとの交流を主にしなければなりません。たとえば、パリに何年も生活していても、片言のフランス語しか喋れない人がいます。そのような人は、日本人社会にどっぷりと浸かって、フランス人の悪口を言いながら住んでいるケースが多かったのを記憶しています。

これに対して、フランス人と一緒に精力的に仕事をしていような人は、フランス語も上手になっていきます。せっかく海外に出たら、その国の人たちと親しくなることです。それこそが外国語上達の秘訣です。

第3章で述べましたように、私は、ドイツのミュンヘンで、数ヶ月の間、日本人に一度も会わず、日本語を一度も喋らないという経験をしました。それは仕事柄、仕方のないことでしたが、外国語の勉強にはなっても、これはこれで辛い経験でした。

英語とロシア語で仕事、ドイツ語で生活、フランス語で家族の会話というのは特別な状況ですが、その経験があるだけに、海外で日本人と会い、日本語を喋り、日本食を堪能するのは、心が和むことであることはよく分かります。ただ、外国語の学習の妨げになっては駄目だということなのです。少し寂しくても、禁酒禁煙ではありませんが、日本語を我慢して外国人による外国語のシャワーを浴びることが、言葉がうまくなるコツなのです。

もちろん、その前提は、事前にしっかりと基礎を固めておくことです。そうしておかないと、きちんとした正統派の外国語が身につきません。日本にいる外国人が、日本の若者と付き合って言葉を覚え、「それチョーイイネ」と言うのも可愛いものですが、「それは、たいへん素晴らしいと思います」という表現ができなければ、やはり日本語に上達したとは言えません。

「聞き取る」ことが第一の課題

長期の滞在が不可能な場合、短期留学、さらには数日の旅行でも構いません。「百聞は一見にしかず」と言われますが、実際に外国を訪ね、外国語を使うと、自信にもつながってきます。

私がフランス、スイス、ドイツなどで過ごした日々のことは、第3章で述べましたが、ここではフランスでの経験を中心にして、会話上達法を伝授したいと思います。

私がフランスに留学したのが、1973年です。かれこれ半世紀前になります。事前に日仏会館で会話も練習して行ったのですが、現実にフランスの地を踏んで、フランス人のお世話になると、まず相手の言っていることがよく聞き取れません。

これには参ってしまいました。相手が何を言っているかが分からなければ、こちらも答えようがないわけです。早口で喋りまくる人には、「済みません、もう少しゆっくり話してください」とお願いします。そうすると、快く話すスピードを落としてくれますが、それでも、まだ理解できない場合があります。

私が、フランスで最初に過ごした都市、グルノーブルでは、定年退職後の高齢のボランティアの皆さんが、名所旧跡などを案内してくれました。年配の方々なので、そもそもゆっくりと話します。しかも、私のフランス語がまだ上手くないことを知っていますので、一語一語かみ砕くように落ち着いて話してくれました。それでも聞き取れないと、もっと易しい表現に変えて、また説明してくれるのです。

これは、相手のフランス語を聞き取るかっこうの訓練になりました。会話の練習には、早口よりもゆっくりと話す人を選ぶほうがよいと思います。その点では、時間もたっぷりあって、忍耐強い年配の方々と話す機会を増やすと、聞き取りの練習になります。また、こちらが、片言のフランス語で話しても、孫に諭すような口調で丁寧に訂正してくれます。また、日本語に例えれば、「それチョーイイネ」というような俗語を喋ることもありませんので、正しいフランス語が学べました。

最初のうちは、早口で流行語を交えた若者のフランス語は理解不能でした。今の私は、相手が誰であろうと会話することはできますが、学びはじめのときは、年配の方に相手をしてもらうことをお勧めします。

何度も言いますが、私は、外国語の会話については、「話す」よりも「聞く」ことのほうが遙かに難しいと思っています。「話す」ほうは、自分の言いたいことを頭の中で作文して、それを口に出せばよいのですから、少しくらい間違っていても相手は理解してくれます。

たとえば、「私は渋谷に行きたい」と言うところを、外国人が「私は渋谷が行きたい」と言っても、私たち日本人には意図するところは通じます。それと同じことです。
ところが、「聞きとる」ことができなければ、もうお手上げです。そこで、この関門を突破するためには、「聞き取り」、つまりhearing能力を向上させねばなりません。それが、できれば会話の半分は完成することになります。
一言で言えば、「慣れる」ということです。朝から晩まで外国にいれば、全身外国語のシャワーを浴びることになります。是非とも海外留学に挑戦してほしいと思います。

語彙を増やす：市場に買い物に

半世紀前にフランスに行ったときのことを思い出しますと、相手の発言を聞き取れなかったのは、知っている単語の数が少なかったからだと思います。
日本では、歴史や政治の本ばかり読んでいましたので、日常生活でフランス人がよく使う言葉に慣れていなかったのです。単語の意味が分からないのですから、どうしようもありません。
フランスでの生活を始めたものの、自分の語彙が不足していることに愕然としました。そこで、新しい言葉は、一つ一つ覚えていくしかありません。常に、辞書とメモ帳をポケットに入れておいて、単語を書き留めていきます。スペリングが分からなければ辞書の引きようもありませんので、フランス人にメモ帳に書いてもらいます。皆親切に教えてくれました。
市場に買い物に行けば、茄子、胡瓜、ジャガイモ、南瓜などがフランス語で表記してありますので、直ぐに覚えられます。「茄子を５本と、ジャガイモを１キロ下さい」と大きな声で注文します。すると、元気な店員がすぐに用意してくれて、「他には」と必ず尋ねます。

次は支払いです。たとえば、17フラン30サンチームだと、20フラン札を出します。フランス人は算数が苦手なので、日本人のようにはすぐに2フラン70サンチームというお釣りの金額をはじき出せません。そこで、17フラン30サンチームに、まず70サンチームを足し、これで18フラン、次に1フランずつ足していって、19フラン、そして20フランとします。継ぎ足した分だけがお釣りだということです。

このやりとりは計算に強い日本人には面倒なものですが、数字をフランス語で表現する学習には最適でした。90という数字を、「20が4つ、それに10」(quatre-vingt-dix)と言うのですから、十進法で、「10，20，30・・・70，80，90」と言い慣れた私たち日本人には驚きです。75なら、「60と15(soixante-quinze)」です。この複雑な数字表現も、市場での店員との釣り銭計算で、みっちりと訓練されました。

市場での買い物で野菜のフランス語名を覚え、釣り銭の計算で数字の複雑な言い方に慣れたのです。フランス語の実地訓練で、随分学習になりましたし、日仏の数字文化の違いも体験できたのです。

今はスーパーで商品をかごに入れてレジに行き、スマホなどでキャッシュレス決済をしますが、これだと外国語を一言も話せなくても用を足すことができます。それは、外国語学習にとってはマイナスで、市場で店員と会話を楽しみながら、キャッシュでお釣りのやりとりをしたほうが、はるかに言葉の習得には役に立ちます。できるだけ会話が不可欠なレトロな店での買い物を勧めたいと思います。

市場での買い物は楽しいし、商品も新鮮です。その上、自分の語彙を豊富にし、またフランス人との会話も実践するのです。買い物に使う会話は初歩的なものが多く、しかも「いくらですか」、「何グラムくらい必要ですか」、「これはいつ収穫したのですか」などと決まり切った表現が多く、すぐに覚えて活用できます。

市場での買い物は, 一石二鳥にも三鳥にもなります。毎週、土曜日の午前中に市が立って、そこで新鮮な食材を購入したことが楽しい思い出となっています。

レストランで食事をする

市場での買い物と並んで、海外で外国語を学習する第一歩となるのが、レストランでの食事です。生きていくためには、まずは食べなければなりません。外国語ができないからといって、食事をしないで済むわけではありません。

パリ留学当時の面白いエピソードがあります。レストランの前には、「今日のメニューと料金」を書いた黒板が置いてあります。毎日、書き換えるのでチョークで書いてあります。手書きですし、読みこなすのも初心者には難しいと思います。

半世紀前のフランスに日本から留学するのは、音楽家や画家など芸術分野の学生が主流を占めていました。絵描きというのは凄いなと思ったのは、フランス語で食べたいものを注文することができないと、紙と鉛筆で絵に描いて表現します。たとえば、茹でた大きな海老（ロブスター、オマール）です。これは一目瞭然なので、レストランのウエイターもすぐに了解です。フランス語ができなくても用が足せますので、パリ在住の画家の会話能力が低いのに合点した次第です。

しかし、私は画家ではないので、この手は使えません。レストランに入ると、まず何人で食事をするのかと聞かれます。「4人」と答えると、4人掛けのテーブルをいくつか示されますので、たとえば窓際のテーブルを選びます。このやりとりは、ほとんど店の係の人の言うことを聞いていれば、用が済みます。

席に着くと、メニューを持ってきてくれます。フランスのレストランの好都合なのは、注文にたっぷりと時間をかけてよいことです。これは、フランス語初心者には最適で、知らない言葉は辞書で調べます。こうして、前菜、スープ、メインの料理と選びます。

飲み物については、食事を選ぶ前に、食前酒を注文しますが、これもメニューに書いてありますので、好みのものを選びます。ミネラルウォーターも、ガス入りかなしかを選択します。ワインについては、私は、前菜を魚、メインを肉にすることが多かったので、まずは白ワイン、次に赤ワインを選びます。

ステーキなどを注文すると、必ず焼き具合を聞かれます。「生で(saignant)」、「中くらい(à point)」、「よく焼く（bien cuit）と三通りを覚えれば、万全です。

ワイン選びも、フランス語とフランスの地理の学習になります。辛口か甘口か、ボルドー産かブルゴーニュ産か、また何年に収穫されたものかなど、ソムリエと議論をします。ソムリエは、蘊蓄（うんちく）を傾けて熱心に解説してくれます。最後は、ソムリエの推薦するワインに決めることが多いのですが、そこに至る会話が楽しいのです。

最後は、デザートとコーヒー、さらに食後酒までいく場合があります。デザートの前にチーズを食べることもあります。チーズもデザートも、口頭で説明されても初心者にはチンプンカンプンですが、現物をお盆にのせて持ってきてくれることが多いので、これは見ればすぐに分かります。

食事中も、係の人が「料理は大丈夫か」、「肉の焼き方は問題ないか」などとうるさいくらいに聞いてきますので、会話の練習になります。

食事が終了すると、勘定 (l'addition) をお願いします。ウエイターが請求書を持って来ますので、多少のチップを加えて支払い、店をあとにします。

レストランでは、客の立場が強いので、客の納得がいくまで、レストラン側は説明します。私の経験だと、発言量を比較すると、店側が客の5倍は喋っています。これが聞き取りの練習になるのです。料理の注文は、決まり切った表現が多いので、ソムリエやウエイターの言うことをしっかりと記憶し、次回はその言い回しを自分が使うのです。

最初にレストランに行くときには、フランス人の友人か、日本人でもフランス語がうまく慣れた人と一緒に行くことを勧めます。レストランは、食事のためだけではなく、フランス語に上達するための学校だと思って下さい。とくに客の立場が強いので、ウエイターにゆっくり喋るようにとか、もう一度言ってもらうとか、いろんな要求を出すことができます。

私は、多くの国で生活しましたが、まず外国語でうまくなったのはレストランで注文に使う表現や言葉です。

新聞を毎日読む

買い物などの簡単な日常会話に加えて、外交、政治、経済などを話題にできる会話能力も必要です。

語彙を増やす方法としては、毎日、キオスクに行って、「ルモンド (Le Monde)」や「フィガロ (Le Figaro)」などのフランスの新聞を買いました。キオスクの店員と話すのも会話の練習になりますし、年配の店主は親切に私のフランス語の間違いを正してくれました。新聞は自宅で、辞書を片手に読みます。とくに、フランスの政治や経済の記事などを熟読しました。

たとえば、大統領選挙や国民議会選挙の前には、政治家のインタビュー記事や政治学者による解説記事などが掲載されますので、じっくりと読み込みます。専門の政治ですから、内容はすぐに理解できます。そこで、不足している語彙を増やすことに力を注ぎます。

さらに、文化欄もよく読みます。フランスはさすがに「文化の国」で、コンサートや美術展の案内、批判などが新聞に頻繁に掲載されます。それを参考にして、音楽会や展覧会にも行きました。

また、書評欄にも必ず目を通し、面白そうな本は購入しました。話題になっている小説や哲学書を読んで、教養を深め、フランス文化に対する知識を増やしていくのです。ベストセラーなどは、フランス人と会話をするときの恰好のテーマとなります。

すべてのフランス人が政治や経済に興味を持っているわけではありませんので、文化についての話題が豊富だと交流の輪も広がります。公職についた後、フランスの政治家と会食する機会も増えましたが、フランスは夫婦単位で動きますので、晩餐会などでは、たとえば私の横にはフランスの大臣夫人が座ります。政治家の夫人と言っても政治にのみ興味があるわけではなく、むしろ文化のことが話題になることが多かったと記憶しています。

そのような機会に、話題になっている本やコンサートなどについて議論すると、食事の際の会話が弾みます。新聞から仕入れた芸術についての知識のおかげで、食事の雰囲気を和ませることができましたし、「ムッシューマスゾエはフランス文化に精通している」と高い評価を頂くことができました。そして、それがまた、フランスの有力者との交流の輪を広げることにつながったのです。

フランスでは、音楽家や画家の友人に連れられてコンサートや美術館によく行きましたので、その経験の蓄積もまた公式食事会での会話を実りあるものにしてくれました。

友人のローラン・ファビウス元首相は、フランス美術についての本を出版するくらいの教養人ですが、彼とそのパートナーとは、美術談義で盛り上がったものです。

毎日、1～2時間かけて新聞を読んでいくと、フランス全体についての知識が広がります。新しく出会った単語は、面倒でも辞書で意味を調べて覚えていくと、着実に語彙も広がっていきます。今は、電子版ですが、私は、フランスの新聞を毎日読む習慣をもう50年近く続けています。そのおかげで、今でもフランス語を忘れることなく、突然フランスから来客があっても、会話に窮することはありません。

フランス語の新聞読解で、一日に少なくとも10〜20個の新しい単語を覚えていくようにすると、半年もすると3000語くらいは語彙が増えることになります。新聞をうまく活用してほしいと思います。

テレビの活用

当時は、新聞、ラジオ、テレビが主なメディアで、今のように、スマホやインターネットなどはありませんでした。

当時フランスで生活していて、フランス語上達の道具として活用したものの一つにテレビがあります。とくに、毎日のニュースです。テレビのニュースは映像が勝負ですから、たとえば旅客機墜落事故などは、飛行機の残骸などが画面に映し出されます。そこで、何がニュースなのかはすぐに理解できます。アナウンサーが、「飛行機事故」、「○○に向けて飛行中の」、「事故の原因は」、「死傷者の数は」といった解説を加えますので、それらの言葉をフランス語でどう表現するかが学べます。

また、アナウンサーの顔が大写しにされますと、口の動きがよく分かります。それで、その口の動かし方を真似ると、発音の改善になります。

当時は国営放送しかなく、チャンネルも3つのみでしたが、文化的には高度な内容の番組が多かったと思います。コマーシャルもなく、ニュース、ドラマ・映画、バラエティ、文化などが主な内容でした。

ニュース番組以外にも、歴史や政治に関する討論番組を熱心に見ました。ある論点について、賛否に分かれて論者が議論をするのですが、議論（débat、debate）というのは、フランス語でこのように展開させるのだということがよく理解できました。大学院のゼミなどで、それを真似てフランス人研究者と討論をしたものです。

ときにはメモをとって、後で、歴史書や憲法学の本などを参照しながら、論点を整理しました。この作業は、フランス語の上達に大いに役立ちました。フランス語はたいへん論理的な言葉ですから、討論には最適な言語です。自分の思想をきちんとした文章にまとめきれないというのは、実はその思想そのものが論理矛盾だということになります。語学だけではなく、論理学まで教わった感じでした。

当時は、話題の書についての書評番組もありましたが、これも必ず見ていました。新聞でも新刊書の出版を知ることができますが、MCの著名な評論家が実際に本を手に取って、評価をするので、面白い番組になっていました。

また、日本式に言えば、「連続テレビ小説」のようなシリーズものもあり、これもよく見て、様々な状況で、どのような会話をするかの参考にしました。楽しみながら、会話能力を高めていくのにテレビのドラマは役立ちました。

海外ではテレビを活用する、これが上達の秘訣です。内容の理解しやすさで、まずはニュース。そして、楽しみながらドラマ。討論能力向上のためには、討論番組や政治家へのインタビュー番組もお勧めです。アナウンサーが優秀だと、厳しい質問を投げかけてきますが、それに政治家がどのように対応するかが見ものです。

テレビは、茶の間の語学の先生だと思って間違いありません。

映画を鑑賞する

フランス人の娯楽の一つが映画鑑賞です。グルノーブルで生活していたときには、毎週のように映画館に通っていましたが、パリに移ってからは、テレビでドラマなどを見ることが多くなりました。

映画やドラマは、楽しい上に、フランス語の勉強にもなります。恋愛映画では、愛の告白にはこのような表現を使うのかと感心させられたことが何度もありましたし、また、家族の打ち解けた会話シーンも参考になりました。つまり、人生の様々な場面を映画やドラマで経験するわけですから、語彙も豊かになっていきます。

日本の劇場で、外国映画を見るときには、日本語の字幕スーパー付きのものがほとんどですが、これも外国語の学習に役に立ちます。「うまい日本語に翻訳するものだな」とよく感心することがありますが、まず「聞き取り」の練習に最適です。そして、俳優の発する言葉を記憶すると、同じような状況に遭遇したときに、それを使うことができます。

フランスの映画館で面白い経験があります。日本人の著名な監督の作品は、フランスでも上映されますが、フランス語の字幕スーパーつきです。フランス人はそれを読んで理解しますが、私は日本語が耳に飛び込んだ瞬間に分かりますので、おかしいときは大声で笑ってしまいます。フランス人は、それから３～５秒遅れて笑います。グルノーブルなどの地方都市では日本人はあまりいませんので、この笑い声の「時差」が目立ってしまいます。映画館の出口で、「君は日本人だろう」と希少価値として声をかけられたのも楽しい思い出です。

私の知っているフランス語の単語や表現法の２～３割は、映画を見ながら覚えたと言っても過言ではありません。映画館に行かなくても、テレビでも1，２年前の映画を流したり、テレビ用に作られたドラマを放映したりしますので、映画やドラマを楽しみながらフランス語に磨きをかけることができました。

フランスで仕事をし、生活をすれば、フランス語を使う機会は増えますが、相手とのコミュニケーションに全力をあげていますので、フランス語の文法などを考える余裕もありません。その点、夕食後にくつろぎながら、テレビでニュースやドラマを見ると、落ち着いてフランス語の勉強をする雰囲気になります。

テレビは、ラジオのように声だけではなく、映像も一緒に流れますので、外国語の学習には最適です。日本のNHK・Eテレの外国語講座は、まさに外国語の学習用に特化された番組ですが、外国の町の風景や人々の生活を映像で流しながら、楽しく学べるようになっています。英語、フランス語、ドイツ語、イタリア語、スペイン語、ロシア語、ハングル、中国語などが学べます。

この番組もまた活用するとよいと思います。ただ、学校のクラスでの授業と違って、一人で頑張らねばなりませんので、三日坊主に終わらないように注意しなければなりません。テレビ画面を相手に一人でコツコツと学習するというのは、忍耐力も必要ですが、新年度に外国語講座がスタートするときには、挑戦してみたらどうでしょうか。

私は、若い頃に滞在した外国で、言葉の学習にテレビを活用しました。フランス語のみならず、ドイツ語や英語についても同じです。そこで、ヨーロッパから日本に帰国するときに、ヨーロッパのテレビ番組を日本で見ることができたらどんなに素晴らしいだろうと思いました。

そうして帰国したら、その夢が叶いました。衛星放送が始まり、NHKのBS放送でヨーロッパの番組、とくにニュース番組が流れるようになりました。これには感激しました。ヨーロッパに戻ったような気分になったものです。

それから40年が経ちましたが、技術進歩はめざましく、BS放送で海外放送が楽しめるのみならず、今ではインターネットで簡単に世界のテレビを視聴できるようになりました。スマホ一つで、それが可能なのです。

手紙を書く

外国語を縦横無尽に操って、流暢な会話ができるようになることが最終の目標ですが、手紙を書くことも、そこに到達するのに役立ちます。かつては、便せんにペンで書いたり、タイプライターで書いたりしましたが、今では、パソコンやスマホでメールを作成して、ネットで送信するのが普通になりました。

日常生活では、日本語でも文章を書く機会はほとんどなくなりました。英語やフランス語などの外国語では尚更です。要するに、英作文、仏作文を練習する機会が少なくなりましたが、やはり文章を書くことができるというのは大事です。

フランスでは歴史の研究を行いましたので、外務省や国会で資料を読みましたが、その中には当時の大臣や議員の書簡もありました。手書きのものもあり、解読に苦労しましたが、その過程で、手紙の書き方を学びました。誰に当てるかによって、敬語などの使い方が異なり、これはフランス人でも教養のある人でないと身につけていません。

フランスは「手紙の国」で、今でも夏休みのときは、フランスの友人がヴァカンス先から絵葉書で便りをくれます。また、クリスマス、新年にはカードに手書きの言葉を添えて、近況を知らせてくれます。

しかし、一般的に言えば、携帯電話、メールによるメッセージが今は圧倒的に多く、郵便局に行って切手を貼って投函するというのは、極めて希になってしまいました。しかし、メールでのメッセージにしても、紙とペンがパソコンやスマホに代わっただけで、文章を作成することには変わりはありません。

『ルモンド(Le Monde)』というのは、フランスを代表するクオリティー・ペーパーで私は40年以上も読み続けていますが、経理部門のどうしようもないいい加減さには閉口しました。1年分をクレジットカードで決済し、予約購読するのですが、毎回経理のミスで、小学生並みの計算もできないスタッフばかりで、埒があきません。

電話は常に話し中で通じず、メールで連絡しても、毎回担当者が違って、話になりません。フランスはラテン系の国なので、そういう大雑把なところがありますが、一流新聞社でそうなのですから呆れてしまいます。

そこで、予約担当の部長に、公式の書簡を郵送したところ、1年目はきちんと処理してくれました。「手紙の国」だという思いがしました。

しかし、翌年にも同じミスが繰り返されましたが、手紙でももう解決できませんでした。世界中同じですが、新聞、とくに紙媒体はもうビジネスとして成立しなくなっているのではないかと思います。

ルモンドの記事の質は高いのですが、経理部門にはまともな人材が集まらなくなっているのではないでしょうか。そのような新聞社の内部事情も、手紙のやりとりで分かります。

ルモンドと言えば、私がフランスに留学したときには、記事のみで写真は一切掲載しない方針でした。それだけ記事の内容で勝負するという自信があったのです。その後、写真も掲載されるようになりましたが、記事の質は良好であり続けました。

しかし、私が経験したような経理のミスを見ると、新聞社としてのガバナンスに問題があるようです。最近は、ルモンドの記事が世界で引用されることも少なくなりました。私の公式な書簡に対して、きちんと返事ができなくなったのを見ると、ルモンドも命運が尽きつつあるのではないかと危惧します。

手紙の文化を誇ってきたフランスだけに、私が巻き込まれたトラブルにルモンド社の危機を感じたのです。

このようなトラブルの解決のために手紙を書くのは不愉快ですが、大臣宛の手紙から友人宛の手紙まで、フランス語で手紙を書くことにつけては、私は自信があります。フランスでの官費留学から帰国した霞ヶ関の高級官僚の書く手紙を見て、必要な格式が欠けているのに愕然としたことが何度もあります。外国語の手紙を書かせてみれば、その人の外国語能力がすぐに分かります。

誰宛にでもきちんと手紙を書けるというのは、外国語の学習でも重要なことなのです。

学んだ外国語を忘れないための5つの秘訣

私は数多くの外国語を学習しましたが、そのためにどれだけの費用と時間を使ったかを考えると気が遠くなる思いです。苦労も多かったですが、新しい言葉を学び、新しい文化への扉を開いたことは大きな喜びでもありました。

大学を卒業するまでに、英語は中学３年間、高校３年間、大学２年間は学びますので、８年間の学習です。大学で習う第二外国語も２年間は訓練します。ところが、社会人になると、第二外国語を覚えていて、自由に会話までできる人はほとんどいません。英語にしても、残念ながら五十歩百歩です。

これでは「勿体ない」と言うしかありません。そこで、海外から、「日本の英語教育はどうなっているのか」と批判されるのです。私もまた、あまり自慢できる状態ではありません。英語、フランス語、ドイツ語については何とか知識を維持しているのですが、ロシア語、スペイン語、イタリア語については使う機会があまりなく、すっかり錆び付いてしまっています。

都知事のときにロシアを公式訪問した際に、西シベリアのトムスクの大学に招かれ、ロシア語で挨拶しましたが、単語を思い出すのに苦労しました。やはり、外国語は使いつづけないと駄目だと痛感した次第です。

そこで、一度学習した外国語を忘れないためには、どのような方法があるのか、簡単に説明しておきたいと思います。

外国語は自転車と同じ

まずは、自分の外国語能力がどのくらいかを認識する必要があります。ドイツや北欧の国では、ほぼ全国民が英語を喋ります。それは、同じヨーロッパの言語だからだということもありますが、日本人は8年間も学習した割には自由に喋れる人が少なすぎます。

私は、外国語の学習をよく自転車の練習に例えます。最初は苦労しますが、次第に上達すると、補助輪がなくても、倒れずにバランスをとりながら前に進むことができるようになります。ここまで来ればしめたもので、後は練習さえ重ねれば、転倒することなく自由自在に自転車を操ることができるようになります。

外国語の学習も、一人で自転車に乗れる段階にまで到達することが大事です。そうなると、もうバランス感覚が身について、しばらく乗らなくても、自転車の乗り方を忘れることはありません。外国語学習も、もう忘れ去らない程度にまで上達すれば安心ですが、その前に学習を停止してしまうことが多いのです。とにかく、身体で覚えて忘れないという水準までは頑張る必要があります。

私の場合は、たとえばフランス語は、その水準に達するまで努力しましたので、しばらくブランクがあっても、直ぐに言葉がよみがえってきます。それに対して、スペイン語やイタリア語は語彙が貧弱になりすぎていて、いざ使おうとしてもパンクした自転車のような感じになってしまいます。

外国語が自分の身体の一部になってしまえば、そう簡単には忘れ去ることはできません。外国語学習は自転車の練習と同じだと認識して、取り組むことが努力を続ける原動力になります。

1：一日に一回は外国語に触れる

どうすれば、学習した外国語を忘れないか。答えは簡単で、毎日、その外国語に触れることです。日本にいても、英語は至るところに氾濫していますので、町に出れば、必ず英単語の一つや二つにぶつかります。ところが、フランス語やドイツ語などは、そういうわけにはいきません。

外国語に触れるとは、読む、書く、聞く、話す、この四つを実行することですが、一番簡単なのは、最初の「読む」です。今は、外国語会話の教材も豊富ですが、50年前はそうではありませんでした。そこで、東大の大先輩の教授は、私に「毎日、少しでよいから、英語、フランス語、ドイツ語、3か国語の文章を読んでから寝る」ことを実行するようにと忠告したのです。

私は、新聞や雑誌がよいと思い、予約購読して、昼休みの時間などに目を通しました。また、寝る前には、枕元にパスカルの『パンセ』やドイツの哲学書などを置いて、数行を読むのです。わずかの時間ですが、「継続は力なり」で、おかげで、50年間、この3か国語は忘れずに済んでいます。

今は、外国の新聞や雑誌、本などは電子版で読めますので、スマホ一つあれば、毎日、簡単に読むことができます。具体的な方法は、次の章で詳しく説明します。

また、「聞く」については、テレビやラジオの番組を活用するなどすれば、簡単に実行することが可能です。前章でも説明しましたが、NHKの海外向け放送を規則的に受信するのも一つの手です。

会話の教材などは単調すぎて飽きてしまいますので、やはり、日々のニュースなどをテーマにした話題の方が良いと思います。私は、車を運転しながらカーラジオで、AFN (American Forces Network、米軍放送網) を聞いています。これも、一日に一回は英語を聞くことに役立っています。

また、週末などには、劇場や自宅で海外映画、できれば吹き替え版ではなく、字幕スーパーのものを鑑賞するようにしています。毎日10分、そして週末には2時間(映画上映時間)、外国語を聞けば、ヒアリング能力も維持できます。

「書く」、「話す」は、相手が必要ですので、「読む」、「聞く」のようには簡単にはできませんが、これは、いろんな機会を活用するしかありません。私も、さすがにこれは毎日というわけにはいきません。ただ、辞書を参照しながら「読む」ことを毎日続けていると、いざ「書く」ときには、読んできた文章を援用できますので、十分に対応できます。

私たちの日常生活でも、日本語を喋ることは多くても、「書く」ということは、ほとんどありません。せいぜいメモ程度です。しかし、いざ「書く」という段になって、困ることはありません。

「話す」についても、ヒアリングが会話の半分ですから、その半分を毎日練習していれば、「話す」ことも苦にならなくなると思います。せっかく覚えた外国語です。忘れないために、「一日に一回、外国語」、これを頑張って実行しましょう。

Ⅱ：外国人の友人を作る

日本にいながら、外国語を使うには、外国人と触れあう機会があればよいのです。私は、海外から帰国した後、大学の研究室にいましたので、外国人の多くの留学生や研究者と交流する機会がありました。こちらは日本語を教え、相手からは外国語を教えてもらうという共生関係がすぐにできましたので、随分と助かりました。

政治や行政の仕事するようになってからは、外国大使館に勤務する外交官と一緒に仕事をする機会が増えましたので、外国語会話を実践することが多くなりました。海外から要人が来日したときには、国会や都庁が催す歓迎晩餐会などにもよく出席しました。

今の日本には、多くの外国人が住んでいますので、彼らと触れあう機会は多々あると思います。外国人に、日本文化を紹介するようなイベントが各地で開かれていますので、そのような場に足を運び、外国人とお友達になるのもよいものです。彼らも日本語を学びたいでしょうから、外国語で日本語を説明することによって、こちらも外国語を磨くことができます。

私が最初にフランスに留学したときには、年配のフランス人がボランティア活動として名所旧跡を案内してくれました。2019年には日本でラグビーW杯が、2020年には東京オリンピック・パラリンピックが開催されますし、その他にも国際的イベントが目白押しです。外国人観光客の数もうなぎ登りです。彼らを案内するためのボランティア活動のニーズも高まっています。是非とも、そのような活動に参加して身につけた外国語を活用しましょう。

外国人にも喜ばれますし、自分の習得した外国語に磨きをかけるチャンスでもあります。ロシアのソチでの冬季オリンピックを視察しましたが、多くのロシア人学生が英語のボランティアとして大活躍していました。韓国の仁川のアジア大会でも、韓国人学生のボランティアが私たちを案内してくれました。

学生諸君にとっては、このようなボランティア活動を経験することは、人生にとって大きなプラスになります。大学によっては、ボランティア活動を単位として認めているところもあります。

半世紀前の日本では、在住外国人の数も少なく、英会話を教わるのに、キリスト教会に行って、アメリカ人の牧師さんにお世話になったことを思い出します。今の日本では、海外の人々と交流する機会は多々あります。彼らと触れあうことは、心身の元気を保つことにつながりますし、社会活動としても有意義であるのみならず、外国語の学習にもなります。一石二鳥にも三鳥にもなると思います。

Ⅲ：詩文を暗唱する

学習した外国語を忘れないための工夫の一つとして、有名作家や詩人の文章や詩を暗唱することを勧めます。

自分の大学生の頃を思い出しますと、50年前ですから、左翼学生運動が全盛の時代で、マルクス、エンゲルス、レーニンといった人たちの本を読むのが流行でした。そこで、ドイツ語を習ったら、マルクス・エンゲルスの『共産党宣言』などの著作を邦訳と比べながら読んだものです。そして、いくつかの文章をドイツ語で暗記して、学生どうしで悦に入っていたのです。

たとえば、マルクスの「哲学者は、世界をただいろいろに解釈しただけである。しかし、大事なことは、それを変革することである（Die Philosophen haben die Welt nur verschieden interpretiert, es kommt aber darauf an sie zu verändern.)」という言葉がそうです。

今でも、スラスラと暗唱できますが、1989年にはベルリンの壁が崩壊して東西冷戦が終わりましたので、マルクス主義も廃れてしまいました。さすがに、人前で自慢げにマルクスの言葉を暗唱するのは止めましたが、ドイツ語の訓練にはなったと思います。

ドイツ語については、ゲーテ(1749～1832年)、ハイネ(1797～1856年)、リルケ（1875～1926年）などの詩集もお勧めします。

英語では、まずは、シェイクスピア（1564～1616年）です。『ハムレット』、『マクベス』、『真夏の夜の夢』、『ヴェニスの商人』、『リア王』など、多くの戯曲がありますが、世界中に知られた名言があります。

たとえば、「生きるべきか死ぬべきか、それが問題だ（To be, or not to be, that is the question)」や「弱きもの、汝の名は女なり(Frailty, thy name is woman.)」などがよく知られています。

これをしっかりと暗唱して、覚えてしまうのです。そうすると、frailty　が「弱きもの」ですから、frail という形容詞は「弱い」、「か弱い」、「もろい」という意味だと分かります。相手がこの言葉を使っても、すぐに理解できます。

その他にも、シェイクスピアの戯曲には、登場人物が語る数々の名台詞がありますので、気に入ったものを記憶して、いつでも頭の中から取り出せるようにしておきます。

英語の詩集にもまた素晴らしいものがあります。"Golden Treasury" という詩集には、ワーズワーズ（Wordsworth）、シェリー（Shelly ）、キーツ（ Keats）などの優れた詩が収録されています。日本で言えば、万葉集や古今集のようなものです。

私は夏目漱石が好きで、漱石のイギリス文学に関する教養には驚きますが、その影響か、このイギリス詩集が若い頃からの愛読書でした。文学青年の気分でイギリス詩集を読んでいましたが、これを暗唱するのも、随分と英語の勉強になりました。当時は、日本人の英文学教授による注釈付きのテキストを重宝しましたが、詩の場合は邦訳か注釈書があったほうがよいと思います。

フランス語についても同様で、パスカル(Pascale)の『パンセ』をはじめ、ヴォルテール(Voltaire)、ルソー(Rousseau)、モンテスキュー（Montesquieu）などの哲学者の文章を暗記しました。

詩人としては、ヴァレリー(Valéry)、ヴェルレーヌ(Verlaine)、ランボー（Rimbaud）などの詩を暗唱したものです。たとえば、ヴェルレーヌの有名な　"Il pleut dans mon coeur , comme il pleut sur la ville. Quelle est cette langueur qui pénètre mon coeur? (巷に雨の降るごとく、わが心にも涙降る。かくも心ににじみ入るこの悲しみは何やらん？）”です。

今は、岩波文庫に、原語と日本語訳が並記された大変便利な詩集が収録されています。『ドイツ名詩選』、『イギリス名詩選』、『フランス名詩選』です。また、『アメリカ名詩選』もあります。

パラパラとページをめくると、必ず自分の気に入る詩に出会います。それを一生懸命に暗唱するのです。そうすると、その詩に使われた表現、たとえば先ほどのヴェルレーヌの詩ですと、「雨が降る(Il pleut.)」という表現は、もう忘れることはなくなります。

文学を楽しみ、人生を豊かにしながら、外国語を学習していくことができるのです。

Ⅳ：外国人とメールで交流する

私は、仕事柄、外国語で論文やスピーチ原稿を書く機会がありますので、「書く」という作業はよく行います。そして、日常生活では、海外の友人への手紙や外国の大学への連絡などで、外国語で「書く」ことを実践しています。

手紙や葉書を郵便で送るのは、クリスマスカードや年賀状などの限られた機会ですが、その他ほとんどの場合は、メールです。今や英語が国際公用語の地位を獲得していますので、毎日のように海外から英語のメールが届き、それに返信しています。また、フランスの友人や研究機関からはフランス語のメールが届きます。

相手からの通信をまず「読む」という作業、そして、自分で返事を「書く」という作業、これを頻繁に続けていれば、習得した外国語を忘れることはありません。

外国語を書くときには、必ず辞書を参照しましょう。単語のスペリングは簡単に忘れてしまいます。日本語でも、今はスマホやパソコンの漢字変換アプリですぐ欲しい漢字が出てきますので、紙と鉛筆で漢字を正確に書けと言われても書けない人が増えています。テレビで、漢字にまつわるクイズ番組が流行するはずです。

外国語のスペリングに至っては、使う頻度が少ないので、正確に書くのは極めて困難です。最近はスペリングを間違うと、自動的に正しいものに訂正してくれるアプリも登場しています。しかし、このアプリが機能するのは、スペリングが8割以上正しい、つまり、10文字から成る単語なら8文字まで正しく書けているときに、訂正してくれます。それ以下の全くできていないときは、パソコンもお手上げです。

英語の場合、英和辞典とともに和英辞典も役に立ちます。どうしても外国語の言葉や表現法を思い出せないときには、私も和英、和仏、和独などの辞書のお世話になります。上達すればするほど、この「和○辞典」は必要なくなりますが、まずは自分で辞書を引いて作文するという癖をつけましょう。

私は中学生の頃、アフリカのローデシア（現ジンバブエ）にペンパルがいて、文通することで、英作文の練習になりました。また、アフリカの文化にも触れることができました。これは楽しい思い出ですが、今は、メールをやりとりする外国人の友人ができれば、外国語の作文を続けることができます。

私の場合は、若い頃に海外の大学で一緒に勉強した学友たちがいますので、メールで近況を知らせあったり、海外出張のとき会う約束をしたり、海外の新刊書のベストセラーを教えてもらったりしています。

海外旅行で知り合った友人などと、メールアドレスを教え会って、メールで交流を続けるのが、作文の練習には最適です。そして、学んだ外国語を忘れないことにもつながります。こまめに「文通」することが役に立ちます。

また、海外の通販に挑戦するのも面白いと思います。日本の通販では入手できない製品やサービスも、ネットで海外通販を探すと見つかることがあります。まず、英語などの外国語の文章をよく読んで、購入のルールを納得します。そして、発注します。支払いはクレジットカードの場合が多いようです。

やがて商品が届き、代金が銀行口座から引き落とされます。この一連の手続きを滞りなく行うには、指示してあることをよく理解する必要があります。これは、まさに外国文読解です。

ネットでは、一連のプロセスはクリックしさえすれば、次の段階に進めます。しかし、先方への希望事項などは、どうしても外国語で書かなければなりません。これは、英語なら英作文の練習になります。間違った文章を書けば、先方に要望事項が伝わらなかったり、注文が成立しなかったりしますので、まさに辞書を片手に格闘することになります。
この努力が、正確に「書く」ことの訓練になるのです。いろんな機会を活用して、外国語で文章を書くことを忘れないようにしましょう。

V：外国語会話集を活用する

足繁く海外旅行に出かけることができれば、その度に現地で外国語による会話を実践することができますが、そう恵まれた人はあまりいません。しかし、海外旅行で、レストランでの食事の注文、ホテルの従業員とのやりとり、デパートでの買い物などで苦労した経験は、どこか頭の片隅に残っていると思います。
とくに、会話がうまくいって嬉しかったこと、相手の話がよく分からないで困ったこと、注文したはずの料理とは違うものが出てきて戸惑ったことなどは、記憶に残るものです。そのようなときに交わした会話の中身を覚えておくだけでも、習得した外国語を忘れなくて済みます。
海外旅行に行く前には、旅行用に編集された会話集を買うことが多いと思います。たとえば、私が使った会話集の一つは、英独仏伊西ギリシャ語の6か国語を満載した一冊のポケットブックです。旅行から帰国すると、そのような会話集は本棚の隅に追いやられ、ほこりをかぶって寝ています。これは勿体ないことです。
私は、これを鞄の中に入れておいて、電車の中などで暇なときに眺めています。簡単な挨拶から始まる日常会話の決まり文句を数か国語で眺めていると、旅の思い出もよみがえりますし、忘れかけた言葉も思い出します。

たとえば、数字の1から10までを、英語やフランス語やドイツ語で正確に唱え、書くことができますか。外国語を覚えはじめの頃には、数字を一生懸命に記憶したと思います。とくにフランス語は、10進法とは違う特殊な読み方をしますので、何度も唱え、書く練習にも時間をかけました。この数字も、旅行用会話集には収録されています。

私の場合、複数の外国語を学びましたので、このように複数の言葉を収録したものが便利でした。とくに、ヨーロッパでは、何か国も巡りましたので、一冊で済むというのが魅力でした。発音の仕方も、カタカナでルビが打ってありますので、何とか発音してこちらの意思を伝えることができます。

この会話集に収録されていないロシア語については、ロシア語会話集を愛用しました。ロシア語はドイツで研究のために使って以来、あまり使う機会がありませんでしたので、その後ロシアに行ったり、ロシア人の来客があったりするときには、たいへん重宝しました。

ロシア人の友人の家に招かれるときには、この会話集を引っ張り出してきて、一夜漬けで読み直すのです。基本的な挨拶や慣用句などをすぐに思い出しますので、これは助かります。

海外旅行用の会話集は、いったん買って少し使っただけで、死蔵しているものがほとんどではないでしょうか。これをときどき読み直すだけでも、学んだ外国語を忘れないために役に立ちます。目の前に外国人がいると想像して、またホテルやレストランでの状況を再現しながら、会話集に沿って会話の練習をすることをお勧めします。

最近では、日本を訪れる外国人が急増しており、町を歩いていて、いつどこで外国人観光客に道を尋ねられるか分かりません。そのようなときに、海外旅行用会話集は役に立ちます。また、観光案内へのニーズも高まっており、ボランティア活動に参加するのも意義あることです。

ラグビーＷ杯やオリンピック・パラリンピックなどのスポーツ・イベントや国際会議なども日本で開かれることが多くなりました。私は、都知事のときに、東京マラソンのボランティアに「同時通訳アプリ」をスマホにダウンロードして配布し、これを活用してもらいました。20数か国語が収録してあり、たとえば、タイ人と話すときには、日本語で喋ると、スマホの画面上にタイ語が表示されます。相手のタイ人がタイ語で喋ると、日本語が表示されます。まだ完璧ではありませんが、これは便利な発明です。

ただ、この翻訳アプリだと、通訳を連れて歩いているのと同じで、自分で外国語を喋るわけではありませんので、外国語の学習には役立ちません。その点では、まだ外国語会話集の意義はあるのです。

いつでも外国語を使えるように

これまで、せっかく習得した外国語を忘れないための秘訣について述べてきました。

まずは、一日に一回は、その外国語に触れることです。これは、英米の映画をDVDなどで見ることなどでも可能です。次に、外国人の友だちを作って、一緒に外出したりすると、会話の実践練習になります。また、文学青年になったつもりで、海外の小説や詩を暗唱することも役に立ちます。

そして、海外の友人と外国語でメールのやりとりをするのも、外国語の読み書きを忘れないために有効です。海外旅行のときに購入した外国語会話集も死蔵させるのではなく、日頃からポケットに入れて眺めていれば、外国語を忘れないための一助になります。

要は、あらゆる機会を活用して、外国語能力の維持に努めることが大事なのです。いつまた外国語が必要なときが来るか分かりません。そのようなときに備えて、日頃から外国語を練習する機会を増やしたいと思います。

スマホを活用しよう

外国語の学習は、まずは基礎をしっかりと固めることです。その方法については、第4章と第5章で説明しました。最終目標は、外国語で自由に会話できるようになることですから、練習を重ねていくしかありません。

NHKテレビの外国語講座を活用したり、衛星放送で海外のニュースやドラマなどを見たりすることも役に立ちます。そして、今はパソコンやスマホを多くの人が使っています。この便利な道具を外国語の学習に活用しない手はありません。

外国語学習アプリの活用

外国語、とくに英語については、スマホやiPadのようなタブレットで利用できる有料、無料の学習アプリがたくさんあります。これはネットで検索すれば、すぐに見つかります。有料のアプリも、多くの場合、お試し期間は無料になっています。

学校のクラスの授業と違って、強制的でも、また試験があるわけでもありませんので、自分一人で学習を続けていくには、強い意志が必要ですが、様々な工夫をすると、ハードルが低くなります。たとえば、通勤や通学の電車の中、またお昼休みの時間を利用して学ぶこともできます。

まず大事なのは、「継続は力なり」ということです。これは、外国語にかぎらず、どのような習い事でも同じです。毎日1時間作り出すのは、よほど暇がないと難しいと思います。

ラジオやテレビの外国語講座の利点は、決まった時間帯に放送があるので、その15分なり、30分なりを毎日のスケジュールの中に組み込むことです。これができれば幸いですが、仕事や授業などがあると、できない場合のほうが多いと思います。放送を録音・録画しておく手もありますが、後で再生して学習しなければ意味がありません。私の場合、忙しすぎたのも理由ですが、録音録画が貯まるばかりで、残念ながら利用しなかったことの方が多かったように記憶しています。

朝起きるのを30分早める、夜就寝する時間を1時間遅くするなどの方法で時間を作ることもできますが、睡眠時間を減らすことのマイナスを考えれば、これも長続きしません。

要は、無理なく学習を継続することですから、毎日の学習時間を短時間に限ることです。10分でも15分でもよいのです。そこで、アプリを選ぶときには、このようなニーズにあったもの、つまり5分～10分がone lesson になっているものを探します。そうすると、時間があるときには、一日に3、4レッスンをこなすことができ、励みにもなります。

次に、学校のクラス授業と違って、孤独な戦いですから、疲れ果てたり、飽きてしまったりしてギブアップするようなアプリは避けましょう。やはり、面白い、楽しい、そして、早く次のレッスンに進みたいと思うようなアプリを選びましょう。クイズ形式になっているものもあります。

さらには、学習する目的に応じて様々なアプリがあります。

前章で、外国語会話上達には、「聞き取り」能力を高めることが大切だと述べましたが、そのために役立つアプリもたくさんあります。たとえば、NHKの国際放送、NHK WORLD TV や NHK WORLD RADIO JAPANがあります。日本のニ

＜語学学習に役立つアプリ＞

● Duolingo（無料）
英語だけでなく、スペイン語、中国語、韓国語をはじめヘブライ語やウクライナ語、ハワイ語など多言語の学習に対応する。単語、文法、リスニング、ライティングなどがゲーム感覚で勉強できるのが魅力。TOEIC500 点程度のレベルが上限なので、初心者におすすめ。
https://www.duolingo.com

●スタディサプリ ENGLISH（7 日間無料。月 980 円）
日常英会話、TOEIC 対策講座ベーシック、TOEIC 対策講座パーソナルコーチ、ビジネス英語など、スキルによってさまざまなコースプランがある。英単語は無料。日常英会話コースはストーリー仕立てになっており、続けるうちに「話す・聞く」が伸びると評判。
https://eigosapuri.jp

● Google 翻訳（無料）
テキスト入力により 103 の言語を翻訳可能。マイクに向かって話した言葉も翻訳してくれる。リアルタイムカメラ翻訳機能は、目の前にある外国語をかざすだけで、瞬時にその外国語を翻訳して表示を置き換えてくれるすぐれもの。ほかに、オフラインでも使える機能あり。
https://translate.google.com

● NHK World TV/Radio Japan（無料）
NHK のテレビとラジオの国際放送「NHK ワールド JAPAN」のニュースや番組を聞くことができる多言語アプリ。日本語、英語をはじめとした 18 の言語に対応。日本でのニュースが中心で、音声のスピードがちょうどよく発音も美しい。放送時間が 15 分なので通勤・通学時に学べそう。
https://www3.nhk.or.jp/nhkworld/

● Mikan（無料。アプリ内課金あり）
東京大学工学部在学中の宇佐美峻さんらによって作られた英単語暗記アプリ。手軽に楽しくスピーディに英単語を覚えることができるうえ、「ターゲット 1900」や「TOEFL 英単語 3800」など、市販の問題集の単語帳も練習できる。正解すると Mikan がほめてくれるのもいい。
http://mikan.link

●究極英単語！ TOEIC800 点突破編（無料）
TOEIC800 点を目指すための単語力をサポート。単語だけでなく例文と例文の音声再生機能がついているので、具体的なイメージで単語を覚えることができる。1 分程度でも取り組むことができ、わからなかった単語を何度も復習させられるので、時短学習にもおすすめ。
http://www.easyrote.jp/toeic800.html

＜語学学習に役立つアプリ＞

●NHK ゴガク　語学講座（無料）
おなじみの「NHK ラジオ講座」がストリーミング配信されているアプリ。中国語、フランス語、ドイツ語など英語以外の言語も配信。「発音練習くん」「ボキャブライダー」というコーナーでは発音練習や単語クイズなども楽しめる。スキマ時間に楽しく勉強できて便利。
https://www2.nhk.or.jp/gogaku/app/

●英語 POLYGLOTS（無料）
ビジネス、マーケティング、スポーツ、エンタメなど、さまざまなジャンルのニュースを英語で読みながら学習できるリーディング・アプリ。英語はネイティブレベルなので難易度は高いが、日本語訳がある記事や有料会員（480円〜）になるとリスニングできる記事もある。
https://www.polyglots.net

●RedKiwi（無料。アプリ内課金あり）
ドラマや映画、ニュースなど、好みの映像を見ながら楽しく英語を学べる。動画はほとんどが 1 〜 2 分なのでスキマ時間で勉強できるのも魅力。動画の音声を聞いて英文を作ったり、簡単な会話練習もできる。英語だけでなく、中国語、韓国語にも対応する。
http://hayanmind.com

●abceed analytics（無料。アプリ内課金あり）
「金のフレーズ」「特急シリーズ」など、TOEIC の有名教材をスマホで学習できるアプリ。音声スピードの細かい設定ができるリスニング音声も無料。自己分析機能もあり、リーディング、英文法などが効果的に学べる。電子書籍の購入で学習モードが利用可能。
https://www.globeejapan.com

●ELSA speak（無料。アプリ内課金あり）
AI（人工知能）による英語発音矯正アプリ。スマホに向かって発声した発音を自動認識。アメリカ人のネイティブと比較して、発音を矯正してくれる。1日 10 分の練習でも、「英語で話す自信がついた」「短期間でネイティブのように話せるようになった」と評判。
https://elsaspeak.com

●TED（無料。アプリ内課金あり）
政治、経済、ビジネス、テクノロジー、科学など、さまざまな業界の専門家が英語でプレゼンをする動画を視聴できるアプリ。100 以上の言語字幕付き。興味のある分野の動画を繰り返して視聴すると、単語やフレーズが頭にインプットされそう。
https://www.ted.com

ュースですから、内容は知っていることが多く、英語でどのように表現するかを学ぶことができます。ラジオのほうは、18言語で放送されています。

また、フランスに留学した当時、語彙が少なくて、相手の言うことが分からなかった話をしましたが、単語力を強化するためのアプリも開発されています。単語を覚えていくに従ってステージが上がっていったり、何度も間違える単語を特に学習させたりする仕組みも取り入れられており、うまく活用すると無理なく語彙を増やすことができます。1日に1単語を覚えれば、1年で365の単語が身につきます。さらには、単語のみならず、決まった表現、フレーズも、同様に覚えていくことが大切です。

また、正しい発音をマスターするためのアプリも開発されており、自分の発音をチェックしてくれます。私は、若い頃は辞書に載っている発音記号を元にして正しく発音するように心がけましたが、今ではネイティブが教えてくれますし、発音辞書とも言えるアプリがあるので、技術の進歩はすごいものだと感心します。

もちろん、総合的に外国語能力を高めるためのアプリや、上級者向けの教材もあります。どのアプリを採用するにせよ、少しずつ前進すればよいのです。とにかく「継続は力」なのです。毎日、10分で良いので、継続することが大事です。

情報伝達技術の進歩

私の海外留学時代の思い出話は、第3章で述べましたが、帰国するときに寂しく思ったのは、「毎日見ていたニュースやドラマが日本に帰ると見られなくなる」ということでした。また、毎日読んでいた新聞を、日本で予約購読すると、費用もかかるし、航空便でも数日後にしか着かないので、ニュース価値が下がってしまうということでした。

もう半世紀前の話ですから、それも当然でした。しかし、その後、様々な新技術が開発され、寂しい思いをしなくても済むようなりました。まずは、テレビニュースです。これは、NHKで衛星放送されるようになりました。たとえば、毎日のフランスのニュースを見ることができるようになりましたので、まるでパリに戻ったような気分になったものです。

自分の家や職場のあったセーヌ川沿いの風景が映ると、懐かしく、嬉しく思ったものです。しかし、放送時間はわずかですし、その日のスケジュールでテレビを見ることができないこともあります。また、フランスのドラマやヴァラエティなどは放映されませんでした。

フランスの政治については、フランスの新聞を毎日読むことによって、フォローしていきましたが、政治家の実像は、新聞の写真で見るのと、テレビで動画を見るのとでは、全く違います。テレビで見ていると、その政治家と東京やパリで会う機会があっても、見慣れた顔ですので、すぐに親しく話すことができます。

やはり、映像が勝負なのです。

ここで、情報伝達技術の歴史について振り返ってみましょう。学者としての私の仕事は、論文や随筆などを書くことです。若い頃、英語やフランス語はタイプライターを使っていましたが、日本語は、200字や400字詰めの原稿用紙に、鉛筆やペンで書いたものです。

それを封筒に入れて郵送するのです。急ぐときには速達にします。その後、ファクシミリが出現しましたので、原稿を書き終えるとすぐにファックスで送ることができるようになりました。これだと、締め切り間際まで書き続けることができますので、締め切りが1〜2日延びたのと同じことです。

書く方の技術は、日本語のワープロが開発されましたので、早速、こちらに切り替えました。編集者のほうは手書きで読みにくい原稿ではなく、読みやすい活字原稿ですので、随分助かったと思います。

その後の革命的技術革新は、インターネットです。書く技術としては、ワープロと同じですが、通信技術のほうはネットを活用することができるようになりました。文章のみならず、図表などのデータも即座に相手に送信することができるようになりました。

パソコン、スマホ、タブレットなどが大活躍する時代になったのです。

政治や経済をはじめ世界中で起こっていることについて、これまでは、新聞や雑誌などの紙媒体、ラジオ、テレビなどで情報を得ていましたが、今はインターネットを利用してスマホやパソコンで同じことができます。

また、受信のみならず、一人一人がツイッターやブログで自分の意見や様々な情報を発信できます。一人一人が、記者として、またカメラマンとして、自然災害、交通事故、反政府デモなどを写真や動画とともに世界に発信しています。これは、ジャーナリズムやマスコミにも大きな影響を与えています。まさに「インターネット革命」と呼んでもよいくらいに大きな変化が生じています。

世界のメディアを見る

スマホやパソコンは、外国語の学習にも大きな武器となります。英会話の有料・無料のアプリについては先述した通りですが、私が、外国語能力を維持するために、この文明の利器をどのように活用しているかを紹介しましょう。

海外留学から帰国するときに夢だったこと、つまり、帰国してからも海外のテレビ、とくにニュース番組を見るということが実現しています。それも、ほとんどリアルタイム、つまり同時刻に見ているのです。

今や、海外のメディアはネットで簡単に見ることができます。私は、英語、フランス語、ドイツ語の3か国語の諸メディアをフォローしています。その3か国語だけでも、時間的にも労力的にもたいへんですので、スペイン語、イタリア語、ロシア語については毎日の日課にはしていません。しかし、たとえばイタリアで政権交代があったりすると、必要に応じて参照しています。

私が毎日見ている海外メディアの主なものは、次のようなものです。新聞は、当然電子版です。

まず、テレビですが、アメリカは、CBS News、ABC News、NBC News、CNN、イギリスはBBC、フランスはTF1、France 2、BFMTV、RTL France、Europe 1、ドイツはZDF、 tagesschau、NDR MVです。フランスのラジオは、France Inter、RFI、通信社は、Reuters、AP(The Associated Press)、AFP(Agence France-Presse)です。

新聞は、アメリカが、The Washington Post、The New York Times、フランスが、Le Monde、Le Figaro、Le Parisien、ドイツが、Die Zeit、Süddeutsche Zeitungです。若い頃から読んでいたドイツの雑誌のDer Spiegelも電子版で読みます。

以上のようなメディアを毎日フォローしていると、英語とフランス語とドイツ語には毎日接することになります。しかも、世界中の出来事を知ることができます。

まずは、「読む」という作業です。たとえば、米中貿易摩擦が話題になると、トランプの発言やそれに対する識者のコメントがニューヨーク・タイムズやワシントン・ポストに載ります。それをじっくりと読みます。もちろん辞書を手元に置いて、不明な単語があれば、きちんと調べて正確に内容を把握します。日本のメディアで話の中身は分かっていますので、英語の勉強に専念することができます。

一本の英語の記事を読んでいて、知らない単語が一つもないどころか、忘れてしまった単語の数の多さに愕然としてしまいます。これはもう、一語一語、辞書を引きながら、覚えなおすしか手がありません。

その他にも、流行のスラング表現にぶつかることがあります。アメリカ人の友人が私に勧めてくれたスラング用の辞書が、“Urban Dictionary : Freshest Street Slang Defined”(compiled by Aaron Peckham、Andrew McMeel

Publishing、2012)です。今は、この辞書も愛用しています。
次に「聞く」の練習です。たとえば、トランプ大統領が演説をすると、それをアメリカのテレビ局が報じますので、視聴すれば会話の勉強にもなります。私は、トランプ大統領のツイッターもフォローしていますので、その動画でも演説を聴くことができます。ただ、本人のツイッターですから、自分に都合のよいものしかアップしていないという難点があります。
アメリカの三大ネットワークやCNNは常時ニュースを流していますので、これらの放送を見れば、「聞く」ことの訓練になります。
フランス語やドイツ語についても、同じように、上記のメディアをフォローします。たとえば、マクロン大統領やメルケル首相の動向を知ろうとすると、前者ではフランスの、後者ではドイツのマスコミが一番詳しく伝えていますので、必要なメディアを選択して読んだり、聞いたりします。
また、ヒトラーやナチズムの研究をして、『ヒトラーの正体』(小学館、2019年)という本を出版しましたので、ドイツやヨーロッパの歴史に関する記事や動画に頻繁にアクセスします。たとえば、2019年9月1日は、ヒトラーがポーランドに侵攻して第二次世界大戦が勃発した80周年記念日ですが、ヨーロッパ諸国でそれを記念する式典が開かれました。
ドイツやフランスのメディアが式典の模様を中継しましたので、「聞き取り」の練習になりました。このような歴史に関するテレビの番組を見たり、新聞や雑誌に掲載される歴史学者の評論を読んだりしますと、外国語の恰好の練習になります。

ヒトラーやナチスについては、ネオナチの台頭や極右政党による移民排斥の動きと関連して、毎週のように何らかの話題が出てきますので、歴史や現在の政治状況を学びながら、ドイツ語の学習にもなります。また、そうして読んだ記事や論文は、自分が本を書くときに引用したり、参考にしたりします。まさに、一石二鳥にも三鳥になるのです。

SNSによる情報発信

私は、スマホやパソコンという道具を使ってネットで得た世界のメディアから発信される情報を分析し、自分の見解を添えてSNSで発信する作業も毎日行っています。

私のホームページにアクセスすれば、ツイートやブログがアップしてあります。実は、私のツイッターをフォローするだけで、英語とフランス語とドイツ語に毎日接することができます。また、日本語での解説もつけてありますので、国際政治の勉強にもなります。

たとえば、2019年10月11日の私のツイッターを見てみましょう。これは、2019年のノーベル平和賞にエチオピアのアビイ・アハメド首相が選ばれたニュースです。最初は、ノーベル賞委員会による発表です。ロイター通信の動画ですが、英語で受賞者、受賞理由について説明しています。

ゆっくりと英語で話していますので、英語のヒアリングの最適な教材となります。

舛添要一 @MasuzoeYoichi · 10月11日
これが、ノーベル平和賞を受賞したエチオピアのアビイ・アハメド首相です。

Le Figaro @Le_Figaro · 10月11日
FLASH - Le #Nobel de la #paix va au premier ministre éthiopien Abiy Ahmed lefigaro.fr/international/...

舛添要一
@MasuzoeYoichi

ノーベル平和賞を受賞したエチオピアのアビイ・アハメド(Abiy Ahmed)首相の笑顔。隣国エリトリアとの紛争を解決した功績が評価された。

BFMTV @BFMTV · 10月11日
ALERTE INFO. Le Premier ministre éthiopien Abiy Ahmed prix Nobel de la paix 2019 bfmtv.com/international/...

舛添要一 @MasuzoeYoichi · 10月11日
ノーベル平和賞発表の中継。

Reuters Top News @Reuters · 10月11日
Winner of the 2019 Nobel Peace Prize is announced pscp.tv/w/cHA8MDF4a2pE...

次に、フランスの新聞フィガロに掲載されたアハメド首相の写真と記事です。フランスのテレビ局BFMTVが提供する記事と写真も引用してあります。これらの二つの記事を読むと、フランス語の学習になります。

アメリカのトランプ大統領がらみのニュースは毎日、大量に届きます。2019年9月30日の私のツイッターを見てみましょう。トランプが、大統領選挙での最大の民主党ライバルであるバイデン前副大統領のスキャンダルを調査するようにウクライナ大統領に電話したことが発覚し、民主党は弾劾訴

舛添要一 @MasuzoeYoichi · 9月30日

＜アメリカABC世論調査＞トランプ大統領のウクライナ疑惑：非常に深刻43%、やや深刻21%、そう深刻ではない19%、全く深刻ではない17%、64%が深刻だと考えていることは、訴追調査に拍車をかける。トランプ大統領にとっては、暗雲だ。

ABC News @ABC · 9月30日

Nearly two-thirds of Americans believe Pres. Trump's encouragement of a foreign leader to investigate a political rival and his family is a serious problem, according to new @ABC News/Ipsos poll. abcn.ws/2nHoRhB

HOW SERIOUS OF A PROBLEM IS IT THAT PRESIDENT TRUMP ENCOURAGED THE UKRAINIAN PRESIDENT TO INVESTIGATE JOE BIDEN AND HIS SON, HUNTER?

VERY SERIOUS | 43%
SOMEWHAT SERIOUS | 21%
NOT SO SERIOUS | 19%
NOT SERIOUS AT ALL | 17%

NEWS POLL

舛添要一 @MasuzoeYoichi · 10月2日
ポンペオ国務長官は、トランプ大統領がウクライナのゼレンスキー大統領に電話したときに同席し、会談内容を聞いていたことを初めて明らかにした。しかし、肝腎のウクライナ疑惑については何も答えなかった。トランプ政権にとっては、ウクライナ疑惑はかなり大きな痛手となりつつある。

"I was on the phone call."

US Secretary of State Mike Pompeo admits that he was on the July 25 phone call in which President Trump asked Ukrainian President Volodymyr Zelensky to investigate former Vice President Joe Biden. cnn.it/2nOulYd

追調査を開始した時点で、この問題に関する世論調査の結果をABC Newsが報じています。これは、世論調査の設問などについても英語学習の参考になります。

ウクライナ疑惑については、ポンペオ国務長官の証言をCNNが伝えています。これは、10月2日に私がツイートしたものが参考になります。記者とのやり取りです。これもまた、英語の聞き取りの練習になります。内容については、私が必ず注釈をつけますので、これを見れば、ポンペオの発言を聞き取る助けになります。

イギリスは、EUからの離脱(Brexit)で揺れていますが、ジョンソン首相は議会を閉鎖するなどの強硬手段を講じています。これに対して、イギリスの最高裁は違憲の判決を下しました。このニュースはBBCなどイギリス内外のメディアが報

Reuters Top News @Reuters · 9月24日

UK Supreme Court rules Prime Minister Johnson's suspension of parliament in the run-up to #Brexit was unlawful. More here: reut.rs/2lI43eS

舛添要一 @MasuzoeYoichi · 9月24日

ジョンソン英首相による議会の閉会は違法だとする最高裁の判断を受けて、バーコー下院議長は明日、議会を再開することを明言。「国民の代表が仕事をできないようにするのは民主主義にもとる」という最高裁判決は、議会制民主主義の祖国らしい判断だ。

Reuters Top News @Reuters · 9月24日

Speaker of the House of Commons John Bercow makes a statement outside UK parliament pscp.tv/w/cFnxZzF4a2pE...

じましたが、私も、9月24日にロイターの報道にコメントをつけてツイートしました。

私は、アメリカ英語よりもイギリス英語のほうが、はるかに聞き取りやすく、最高裁長官による判決理由の説明など明快で、しかも喋るスピードが遅いので、これはヒアリングの教材として理想的なものです。

この件については、同じ日にバーコー下院議長のコメントもロイターから動画で採録しましたが、喋り方もゆっくりですし、たいへん分かりやすい英語で、聞きながら紙にそのまま筆記できるくらいの明瞭さです。これほど素晴らしい教材を学習用に使わない手はありません。

Brexitをめぐる混乱が続くかぎり、イギリスの話題には事欠きませんので、英議会での与野党間の議論の応酬風景を海外のメディアを通じて入手し、それをよく見て、英語での議論のやり方を覚えていくとよいと思います。

フランスでは、2019年4月15日にパリのノートルダム大聖堂が火災に遭いました。この人類の遺産が焼け落ちるのを見るのは、悲しいかぎりでした。マクロン大統領は、5年以内に再建すると約束しましたが、そのための工事は思うようには進んでいません。

半年後のノートルダム寺院の状況を報じたフランスのメディアに注目して、10月14日にはEurope1の、そして15日にはBFMTVの映像を引用して、コメント付きでツイートしました。

フランス語の学習という点では、再建、工事現場、工事の

舛添要一
@MasuzoeYoichi

パリのノートルダム寺院、火災からの修復が遅れている。工事現場で鉛の害が確認されたことが原因で、安全管理に手間取っている。マクロン大統領は5年以内に修復すると約束したが、実現できるかどうか、危ぶまれている。

Europe 1 @Europe1 · 10月14日
Il y a 6 mois Notre-Dame de Paris brûlait. Emmanuel Macron avait promis une reconstruction en 5 ans. Mais force est de constater que le chantier tourne au ralenti...

舛添要一
@MasuzoeYoichi

4月15日のノートルダム大聖堂の火災から半年が経った。若い頃のパリでの生活は、私の人生に大きな影響を与えた。燃え落ちる尖塔を見ていると、青春時代が失われていくようで悲しかった。マクロン大統領は5年以内に再建すると約束したが、様々な問題が発生し、思い通りには工事が進捗していない。

BFMTV @BFMTV · 1h
Après l'incendie qui a ravagé Notre-Dame le 15 avril dernier, Emmanuel Macron a annoncé vouloir une reconstruction en 5 ans

6 mois après la catastrophe, où en sont les travaux? ⤵

遅れ、鉛公害などという言葉をしっかりと覚えるのに最適です。

歴史の勉強もかねて

次は歴史の勉強です。第二次世界大戦が始まったのが1939年9月1日ですが、80年後の2019年9月1日に、私は、ドイツのテレビZDFの映像を使って、歴史的映像を再現し、ナチスのポーランド侵攻についてツイッターで回顧しています。

ドイツとポーランドにおける記念式典については、フランスのAFPの映像を引用しています。

舛添要一 @MasuzoeYoichi · 9月1日

ドイツとポーランド：1939年9月1日、ドイツ軍に侵攻されたポーランド、その後、スターリンのソ連軍にも侵攻され、独ソに分割された。3度地図上から消えたポーランド、海に守られた日本はありがたい。そのポーランドでは、いまなおドイツに賠償を求める動きがある。日本も直面する重い「過去と現在」。

ZDF heuteplus @heuteplus · 9月1日

Erstes Opfer deutscher Gräueltaten im zweiten #Weltkrieg: Vergessen wir das Leid der #Polen zu oft vor all den anderen #Kriegsverbrechen, die danach kamen?

舛添要一 @MasuzoeYoichi · 9月1日

ポーランドにおける第二次世界大戦勃発記念日の式典の動画。ポーランド大統領と共にドイツ大統領も出席し、ドイツ国歌も演奏。中国、韓国と日本の間では、まだこのようなことができない。

Agence France-Presse @afpfr · 9月1日

Les chefs d'Etat polonais et allemand marquent les 80 ans des premières bombes tombées sur Wielun, petite ville polonaise sans défense, première victime de la deuxième guerre mondiale #AFP

75年前の今日、1944年8月25日、ナチスに占領されていたパリが完全に解放された。米軍の到着とレジスタンス（抵抗運動）を戦ったフランス人、降参するドイツ兵の姿を写す貴重な映像だ。全体の歴史的経過は、拙著『ヒトラーの正体』に解説してある。

戦争が終わる1年前の1944年8月25日に、ナチスに占領されていたパリが解放されます。その75年後の2019年8月25日には、APの歴史資料動画を使いながら、私がツイッターで解説しています。

また、1989年11月9日にベルリンの壁が崩壊し、米ソ冷戦が終わりますが、2019年は、その30周年の記念日を迎えます。この歴史的事件の一月前、東ドイツのライプツィヒで7万人の市民が自由を求めてデモ行進をしました。そのときの動画がドイツのテレビ局ZDFから入手できました。

そこで、私は、10月9日のツイッターで、その動画とともにこのライプツィヒでの出来事の歴史的意義を解説しています。ドイツ語の勉強にもなります。

このように、歴史を振り返りながら、外国語の勉強もできるのですから、ネットは活用すべきです。

さらに、日本の出来事が海外にどのように報道されているかを見るのも、興味深いし、外国語の練習になります。2019年10月に、超大型の台風19号が日本各地に大きな被害をもたらしましたが、海外のメディアもこの件を世界に伝えました。10月13日のロイター、10月14日のBBCが報じる内容を解説付きでツイートしています。

台風については、日本のメディアのほうが詳しく報道して

舛添要一
@MasuzoeYoichi

台風19号の被害を伝えるロイター。14日の観艦式中止も伝える。

Reuters Top News @Reuters · 10月13日
Japan cancels maritime fleet review after typhoon: spokesman
reuters.com/article/us-asi...

舛添要一
@MasuzoeYoichi

BBCが世界に配信した台風19号関連の動画。過去60年で最強の台風と紹介。

BBC News (World) @BBCWorld · 10月14日
Japan has deployed tens of thousands of troops and rescue workers to help following Typhoon Hagibis, one of the strongest storms to hit the country in years

[tap to expand] bbc.in/2MEL3BM

舛添要一
@MasuzoeYoichi

台風19号については、フランスのメディアも逐一、被害状況を伝えている。世界中が心配してくれている。

Agence France-Presse @afpfr · 10h

Le typhon Hagibis, qui a frappé le Japon le weekend dernier, a tué près de 70 personnes, selon un nouveau bilan de la chaîne de télévision publique NHK. Quinze personnes sont toujours portées disparues. Des précipitations ce matin sont une nouvelle menace pour les habitants #AFP

舛添要一
@MasuzoeYoichi

ドイツのメディアも、台風19号の被害の大きさと日本人の復興の努力を伝えている。

tagesschau @tagesschau · 10月14日

Bergungskräfte finden weitere Opfer nach Taifun in Japan
tagesschau.de/ausland/taifun… #Taifun #Japan

いますので、日本人は被害状況も詳細に知っています。

そこで、報道内容よりも、外国語ではどう表現するのかという点に注意を集中します。これは、実は和文英訳や英作文の力を充実させるための教材になります。

たとえば、「台風で川が氾濫した」と英語で表現したい場合、ロイターやBBCが使っている文章をそのまま真似ればよいのです。

10月15日には、フランスのAFP とドイツのtagesschauの写真と記事を引用しながらツイートしていますので、台風の被害について、フランス語やドイツ語でどのように表現すればよいかが分かります。

スマホやパソコンで私の発信するSNSをフォローすれば、政治や経済など世界の出来事がよく理解できるとともに、英語やフランス語やドイツ語の学習にもなります。ぜひ活用して頂きたいと思います。

また、外国の友人とお互いにフォローしながらツイートするのもよいと思います。まず私が英語やフランス後でツイートします。それを外国人の友人がリツイートしてくれると、私のメッセージが世界に拡散します。

外国語の学習という点でも、たとえば英語で正確なメッセージを伝える必要がありますので、これは緊張を伴う英作文の時間となります。また、世界から届いた反応を英語で次々と読んでいくのは、読解力を高めることにつながります。

自分の持っている情報を世界に発信し、また世界からのメッセージを受け取って読む、これをスマホで毎日実行していけば、語学の達人になること請け合いです。

You Tubeで歴史資料映像や映画を見る

ネットでYou Tube やニコニコ動画などで動画を見ることも、外国語の学習になります。私は国際政治の勉強をしていますので、世界の指導者の演説をよく視聴します。トランプ大統領の演説などは、毎日のように内外のテレビで見聞きしますが、歴史上の演説も、You Tube などで簡単に見ることができます。

たとえば、1961年1月20日にジョン・F・ケネディが行った大統領就任演説です。画面には英語と日本語訳の字幕までつけてあるものもあります。政治家の演説は、ゆっくりとした口調で、分かりやすい言葉で行うのが一般的ですので、英語の教材としては最適です。英語の「聞き取り」練習に使えます。

また、公民権運動のキング牧師が、1963年8月28日にワシントンでの行進の際に行った「私には夢がある (I have a dream.)」演説は、簡潔で分かりやすい名演説です。これも、You Tube で簡単に見ることができます。
たとえば、次のような1節があります。

"I have a dream that my four little children will one day live in a nation where they will not be judged by the color of their skin but by the content of their character.(いつの日か、私の4人の子どもたちが、肌の色ではなく、人格によって判断されるような国に住むという夢を持っています)"

このような簡単な英語ですから、動画を見ながら、この文章を暗唱したくなります。

You Tube などが存在していないときは、JFKの大統領就任演説やキング牧師の「私には夢がある」スピーチは、歴史の本に記述してあるのを読んで見るだけでした。テレビでドキュメンタリー番組などが放映されると、運良く演説をしている記録を見ることができました。しかし、今では好きなときに、いつでも見て聞きたい演説にアクセスできるのです。

20世紀は「映像の世紀」と言われます。歴史的事件を文章によってのみ説明されるよりは、映像を使って甦らせるほうが遙かに分かりやすいですし、印象にも残ります。

たとえば、ヒトラーやナチズムについて、私は研究のために、フィルムに残された映像をよく見ます。You Tube にも、たとえばヒトラーやゲッベルスの演説がアップされています。これらも、JFKやキング牧師の演説と同様に、日本語訳の字幕付きのものもあり、ドイツ語の学習教材として活用することもできます。

その他にも、過去に上映された映画を始め、数多くの動画にアクセスできますので、外国語の学習に利用することができます。

外国の国歌を楽しむ

2019年のラグビーW杯では、日本人の観客が参加国の国歌の歌詞を書いた紙を見ながら一生懸命に歌っている姿が世界を感動させました。外国語の国歌はまた、素晴らしい外国語教材です。オリンピックなどでよく演奏されますし、メロディーだけではなく、歌詞も暗唱できれば素晴らしいと思います。もちろん国歌の意味も良く理解しておく必要があります。

外国の国歌もまた容易にYou Tubeやニコニコ動画で再生できます。軍楽隊の演奏、ソプラノ歌手の独唱、合唱団のパフォーマンスと様々なヴァージョンを楽しむことができます。原語の歌詞や邦訳が字幕スーパーで出るものもあります。

皆が知っているアメリカ国歌、“The Star-Spangled Banner（星条旗よ永遠なれ）”を、動画を見ながら聞いて見ましょう。スーパーボウルの開会式でのホイットニー・ヒューストンやレディ・ガガの独唱を映像とともに楽しみながら聞けるのです。まさに圧巻です。

私が学生の頃は、英語の辞書を引きながら歌詞の意味を調べるという作業でしたから、楽しいという感じではありませんでした。しかし、今は、映像を見ながらスーパースターの歌声を聞きながら、国歌を満喫できるのですから、これこそまさにスマホ時代の素晴らしさです。

アメリカ国歌の一番の歌詞は、次のようになっています。

Oh, say can you see,
おお、見えるだろうか、
By the dawn’s early light
夜明けの薄明かりの
What so proudly we hailed
われわれは誇り高く声高に叫ぶ
At the twilight’s last gleaming?

Whose broad stripes and bright stars,
危難の中、城壁の上に
through the perilous fight,
雄々しく翻る
O'er the ramparts we watched
太き縞に輝く星々を我々は目にした
Were so gallantly streaming?

And the rockets' red glare,
砲弾が赤く光を放ち中で炸裂する中
The bombs bursting in air,
我らの旗は夜通し翻っていた
Gave proof through the night
ああ、星条旗はまだたなびいているか？
that our flag was still there,
自由の地　勇者の故郷の上に！

Oh, say does that star-spangled
banner yet wave.
O'er the land of the free
and the home of the brave!

これは、1812年に起こった米英戦争におけるアメリカ軍の健闘をたたえたものです。

イギリスの国歌、“God save the Queen（女王陛下万歳）”も日本では有名です。起源は定かではありませんが、18世紀後半には広まっていたようです。1番のみ、記してみます。

God save our gracious Queen,
おお神よ我らが慈悲深き女王を守りたまへ
Long live our noble Queen,
我らが気高き女王よとこしへにあれ、
God save the Queen:
神よ女王を守りたまへ：
Send her victorious,
君に勝利を
Happy and glorious,
幸福を栄光をたまはせ
Long to reign over us,
御世の長からむことを：
God save the Queen.
神よ女王を守りたまへ

女王ではなく、国王のときは　QueenがKingに、herがhimに変わります。

フランス国歌、ラ・マルセイエーズ(La Marseillaise)もよく知られています。フランス革命政府がオーストリアと戦ったとき、マルセイユの義勇兵が隊歌として歌ったものが全国に広がったのです。歌詞には、「残忍な敵兵が汝らの子と妻の喉を掻き切る」といった残酷なフレーズが含まれています。最初にフランス語の歌詞を日本語に訳したとき、このような残酷な歌を国歌として子どもたちに歌わせてよいのかとすら思ったくらいです。

Allons enfants de la Patrie,
行こう祖国の子らよ
Le jour de gloire est arrivé !
栄光の日が来た！
Contre nous de la tyrannie,
我らに向かって暴君の
L'étendard sanglant est levé,
血まみれの旗が掲げられた
L'étendard sanglant est levé,
血まみれの旗が掲げられた
Entendez-vous dans les campagnes
聞こえるか戦場の
Mugir ces féroces soldats ?
残忍な敵兵の咆哮を？
Ils viennent jusque dans vos bras
奴らは汝らの許に来て
Égorger vos fils, vos compagnes !
汝らの子と妻の喉を掻き切る！

Aux armes, citoyens,

武器を取れ　市民らよ
Formez vos bataillons,
隊列を組め
Marchons, marchons !
進もう　進もう！
Qu'un sang impur
汚れた血が
Abreuve nos sillons !
我らの畑の畝を満たすまで！

ドイツ国歌もネットで検索して、聞いて見ましょう。「ドイツの歌(Deutschlandlied)」と言います。19世紀初め、まだドイツが統一されていないときに、ドイツ民族の統一を願って、ホフマン・フォン・ファラースレーベンが作詞しました。メロディーはハイドンの「神よ、皇帝フランツを守り給え」を借用しました。

第一次大戦後にできたワイマール共和国で正式な国歌として採用されました。ヒトラーのナチス政権もこれを踏襲し、この1番とナチス党歌「旗を高く掲げよ」を組み合わせて歌いました。歌詞については、第二次大戦後、1番の「世界に冠たるドイツ」というフレーズが問題になり、第二次大戦後は３番のみが公式の国歌となっています。

ドイツ国歌の演奏と合唱をスマホで見て聴きながら、ドイツの歴史を振り返るのもまた楽しい学習です。

Deutschland, Deutschland über alles,
ドイツよ、ドイツよ、すべてのものの上にあれ
Über alles in der Welt,
この世のすべてのものの上にあれ
Wenn es stets zu Schutz und Trutze
護るにあたりて
Brüderlich zusammenhält.
兄弟のような団結があるならば
Von der Maas bis an die Memel,
マース川からメーメル川まで
Von der Etsch bis an den Belt,
エチュ川からベルト海峡まで
Deutschland, Deutschland über alles,
ドイツよ、ドイツよ、すべてのものの上にあれ
Über alles in der Welt!
この世のすべてのものの上にあれ

Deutsche Frauen, deutsche Treue,
ドイツの女性、ドイツの忠誠
Deutscher Wein und deutscher Sang
ドイツのワイン、ドイツの歌は
Sollen in der Welt behalten
古くからの美しき響きを
Ihren alten schönen Klang,
この世に保って
Uns zu edler Tat begeistern

我々を一生の間
Unser ganzes Leben lang.
高貴な行いへと奮い立たせねばならぬ
Deutsche Frauen, deutsche Treue,
ドイツの女性、ドイツの忠誠
Deutscher Wein und deutscher Sang!
ドイツのワイン、ドイツの歌よ

Einigkeit und Recht und Freiheit
統一と正義と自由を
Für das deutsche Vaterland!
父なる祖国ドイツのために
Danach lasst uns alle streben
それを求めて我らは皆で兄弟の如く
Brüderlich mit Herz und Hand!
心と手を携えて努力しようではないか
Einigkeit und Recht und Freiheit
統一と正義と自由は
Sind des Glückes Unterpfand
幸福の証である
Blüh' im Glanze dieses Glückes,
その幸福の輝きの中で栄えよ
Blühe, deutsches Vaterland!
父なる祖国ドイツ

ある国の言葉を学習するときには、やはりその国の国歌は暗唱しましょう。世界的な歌手や合唱団が特別な機会に歌うのを映像で見ると、感激しますし、楽しいものです。スマホやパソコンで、いつでも好きなときに鑑賞できるのですから、素晴らしい時代になったものです。

賛美歌もまた教材に

You Tube などで、国歌のみならず、外国語の歌を、原語の歌詞と日本語の字幕つきで、しかもいろんなヴァージョンにアクセスできます。歌は、覚えてしまいますので、読む、書く、聞く、話すという全ての基礎につながる外国語学習なのです。

誰もが知っていて、私が暗記している英語の歌を二つ記しておきましょう。

一つは賛美歌で、“Amazing grace” です。作詞者は、奴隷船の船長だったジョン・ニュートンです。船が遭難して助かったのを機に悔い改め、1772年に作詞したものです。

Amazing grace!(how sweet the sound)
驚くべき恵み(なんと甘美な響きよ)
That saved a wretch like me!
私のように悲惨な者を救って下さった。
I once was lost but now I am found
かつては迷ったが、今は見つけられ
Was blind, but now I see.
かつては盲目であったが、今は見える。

'was grace that taught my heart to fear.
神の恵みが私の心に恐れることを教えた
And grace my fears relieved;
そしてこれらの恵みが恐れから私を解放した
How precious did that grace appear,
どれほどすばらしい恵みが現れただろうか、
The hour I first believed.
私が最初に信じた時に。
Through many dangers, toils and snares.
多くの危険、苦しみと誘惑を乗り越え、
I have already come;
私はすでにたどり着いた。
'Tis grace has brought me safe thus far,
この恵みがここまで私を無事に導いた。
And grace will lead me home.
だから、恵みが私を家に導くだろう
When we've been there ten thousand years,
そこに着いて一万年経った時
Bright shining as the sun,
太陽のように輝きながら
We've no less days to sing God's praise
日の限り神への讃美を歌う。
Than when we've first begun.
初めて歌った時と同じように

簡単な単語が並んでいますので、日本語の意味もすぐ分かりますし、暗記するのに苦労はないと思います。賛美歌ですから、心も洗われる感じです。

アメリカの建国の理念は「銃とキリスト教」です。新天地を開拓するときに、身を守るのが銃で、心を護るのがキリスト教なのです。そのアメリカを理解するためにも、この賛美歌を歌うことを勧めます。

軍歌ですが、もう一つアメリカを理解するための歌として、“The Battle Hymn of the Republic（リパブリック賛歌）”を上げておきます。メロディーや作曲者については諸説がありますが、作詞はジュリア・ウォード・ハウという女性です。南北戦争の時の北軍の行進曲です。

このメロディーを用いた様々な替え歌があることはよく知られています。

冒頭の元の歌詞を見てみましょう。

Mine eyes have seen the glory of the coming of the Lord:
He is trampling out the vintage where the grapes of wrath are stored;
He hath loosed the fateful lightning of His terrible swift sword:
His truth is marching on.
(Chorus)
Glory, glory, hallelujah!
Glory, glory, hallelujah!
Glory, glory, hallelujah!

His truth is marching on

私の眼は主の降臨の栄光を見た
主は、怒りの葡萄がためられた古葡萄酒を踏みつける
恐るべき神速の剣を振るい、運命を決する稲妻を放った
主の真理は進み続ける
（コーラス）
栄光あれ、栄光あれ、神を称えよ！
栄光あれ、栄光あれ、神を称えよ！
栄光あれ神を称えよ！
主の真理は進み続ける

I have seen Him in the watch-fires of a hundred circling camps,
They have builded Him an altar in the evening dews and damps;
I can read His righteous sentence by the dim and flaring lamps:
His day is marching on.

私は、ぐるりと取り囲む幾百の野営のかがり火の中に主を見た
彼らは夜露の中、主のための祭壇を建てた
ほの暗くゆらめくランプの傍らで、主の正しき判決が読める
主の日は進み続ける

この歌に使われている英語もさほど難しくありません。替え歌があまりにも多いので、きちんと英語の原詩で歌えるとアメリカ人にも評価されると思います。

スマホを上手に使って、楽しみながら外国語に上達しましょう。

あとがき

20年以上も前に、『舛添要一の6か国語勉強法』（講談社、1997年）という本を出版し、好評を博しました。その後絶版になりましたが、古本屋でも見つけるのが難しく、再版を求める声が数多く届きました。

そこで、ご要望に応えようと筆を執ったのですが、20年も経つと、技術進歩で外国語学習をめぐる環境もすっかり変わってしまいました。再版ではなく、新しい時代に合った外国語学習法について、まったく違う本を書かざるをえなくなったのです。

必要なのは、インターネット時代に活用できる外国語の勉強の仕方を解説することです。スマホの楽しく、有益な使い方について、私が実践している方法の一部を紹介しました。外国語学習は、楽しくなければ長続きしません。

私は、毎日、世界の情勢をフォローするためにスマホを使っていますが、若い頃に学んだ外国語がたいへん役立っています。スマホの画面上で、英語、フランス語、ドイツ語には一日たりとも欠かさず接しています。スマホは、私の外国語の先生と言っても過言ではありません。

語学学校に通わなくても、スマホを上手に活用できれば、語学の天才になれます。初めて教わる英語ではさんざん苦労しますが、第2外国語、第3外国語と、学習する外国語の数が増えるほど、次第に学習のコツが掴めます。

できれば、英語だけでなく、もう一つか二つ、新たな外国語にチャレンジしてみて下さい。人生を豊かに、そして楽しくするためです。

たとえば、私の場合、フランス語を学んだおかげで、おいしいフランス料理やワインと出会うことができました。イタリア語は、素晴らしい美術の世界への案内役となりました。ロシア語は、帝政ロシア、ソ連邦、ロシア連邦と国は変わっても「ロシア的なもの」が変わらないことを教えてくれました。

酷使してボロボロになった辞書、テスト攻勢で汗と涙が滲んだ黄ばんだ答案用紙を本書でも写真で紹介しましたが、そのような努力のおかげで、世界中を駆け抜けることができましたし、語学力がないと不可能な経験も積み重ねることができました。

外国語の勉強は、その苦労の何倍もの宝物をもたらしてくれることを強調しておきたいと思います。私は、いつでも新たな外国語に挑戦する意欲を持っています。身体の筋肉と同じように、何歳になっても鍛えれば、語学力も確実に伸びていきます。

「外国語で人生を楽しく」をスローガンに、皆さんが新しい挑戦を始めることを期待しています。

2019年12月20日

舛添要一

舛添要一（ますぞえよういち）

国際政治学者。1948年福岡県北九州市生まれ。1971年東京大学法学部政治学科卒業。海外留学で語学を磨く。フランス、スイス、ドイツなどでヨーロッパ外交史を研究。東京大学教養学部政治学助教授を経て政界に進出。2001年参議院議員（自民党）に初当選。厚生労働大臣（安倍内閣、福田内閣、麻生内閣）を務める。2014年東京都知事選で当選。2016年レジオンドヌール勲章（フランス）を受章。主な著書：『憲法改正のオモテとウラ』（講談社現代新書、2014年）、『ヒトラーの正体』（小学館新書、2019年）など多数。

装丁：宮坂佳枝
本文デザイン：富田ゆうこ
イラスト：大河原一樹

スマホ時代の6か国語学習法！

2020年1月31日　初版第一刷発行　　定価はカバーに掲載しています。

著　者　舛添要一
発行人　杉田百帆
発行所　株式会社　たちばな出版
〒167-0053
東京都杉並区西荻南二丁目二十番九号　たちばな出版ビル
電話　03-5941-2341（代）
FAX　03-5941-2348
ホームページ https://www.tachibana-inc.co.jp/
印刷・製本　株式会社新藤慶昌堂

ISBN978-4-8133-2663-2